IMAGE DE SOI
et
chirurgie esthétique

Dr ALPHONSE ROY
SOPHIE-LAURENCE LAMONTAGNE

IMAGE DE SOI
et
chirurgie esthétique

GUIDE INDISPENSABLE
POUR QUI VEUT CORRIGER
SON APPARENCE

Stanké

Données de catalogage avant publication (Canada)

Roy, Alphonse

Image de soi et chirurgie esthétique

(Collection Parcours)

2-7604-0303-3

1. Chirurgie plastique. 2. Schéma corporel.
I. Lamontagne, Sophie-Laurence. II. Collection.

RD119.R69 1987 617'.95 C87-096174-8

ISBN 2-7604-0303-3

Dépôt légal : deuxième trimestre 1987

TABLE DES MATIÈRES

INTRODUCTION

Depuis les temps anciens, le corps occupe une place de choix dans toutes les cultures. On l'habille et le maquille autant pour l'esthétique que pour la nécessité. Il est, depuis toujours, une image grandement protégée.

Notre siècle, plus que tout autre auparavant, a su fabriquer un monde de communication et d'information où le corps est partout présent. La télévision en diffuse l'image avec une instantanéité qui abolit sur-le-champ les distances.

De nos jours, dit-on, l'image transporte l'idée, et son véhicule premier demeure le corps, ses gestes, son allure. Conscients de cette réalité, les hommes et les femmes se soucient davantage de leur apparence. Avec le changement des valeurs humaines (libérées de nombreux interdits d'ordre religieux) et la valorisation du « moi », toute une psychologie s'est développée autour de l'acceptation ou du refus de l'image physique.

De là naît la demande de correction ou de transformation de certaines parties du corps à des fins esthétiques. Quant aux problèmes issus d'accidents ou de traumatismes, il ne viendrait à l'idée de personne aujourd'hui d'en accepter les séquelles corporelles sans tenter d'y remédier par tous les moyens dont dispose la chirurgie réparatrice moderne.

Cette demande conduit une clientèle toujours croissante chez les spécialistes de la chirurgie esthétique ; une clientèle plus ou moins bien informée, toutefois, sur les possibilités et les limites de cette chirurgie.

Il faut bien l'avouer, les renseignements qui circulent de bouche à oreille présentent cet inconvénient d'être soit assaisonnés d'inexactitudes soit amputés d'informations essentielles. Rien ne vaut une consultation avec le médecin ; mais encore là, la crainte d'entreprendre une démarche inutile ou inversement trop engageante, la crainte aussi de l'intervention ou des effets de l'anesthésie retiennent plus d'une personne au bord de la décision.

La publication de ce livre répond donc à un besoin exprimé par les patients eux-mêmes. Plusieurs interventions, pensons-nous, pourraient ainsi être pratiquées en temps opportun ; les résultats s'en trouveraient, par le fait même, maximisés. La première rencontre avec le médecin prendrait une tout autre dimension : un patient et une patiente déjà informés formulent, en effet, des questions beaucoup plus pertinentes et éclairées qui entraînent, en retour, des réponses précises, propres à les rassurer.

Par ailleurs, il est prouvé que 20% seulement de ce qui se dit en consultation individuelle s'enregistre en mémoire. Aussi ce livre prétend-il combler en partie ces oublis bien légitimes et offrir, en récapitulation, toutes les informations nécessaires sur les fonctions, les corrections, les contraintes et les problèmes relatifs à la chirurgie corrective des différentes parties du corps.

Ce double objectif peut se résumer ainsi : informer adéquatement le lecteur afin que sa première rencontre avec le praticien soit réussie ; récapituler et compléter l'information déjà reçue pour démystifier la chirurgie esthétique et aider le patient à vivre son expérience avec sérénité.

CHAPITRE 1

LA CHIRURGIE ESTHÉTIQUE

UN PEU D'HISTOIRE

La chirurgie réparatrice, plus connue sous le nom de chirurgie plastique ou esthétique, est une chirurgie des formes.

Elle s'attaque à la peau, aux muscles, aux cartilages et aux os pour corriger les traumatismes et les malformations. De par son rôle esthétique, elle est intimement liée à la correction de l'apparence.

Chez les Grecs, comme d'ailleurs chez les Romains, on pratiquait la chirurgie réparatrice ou de reconstruction. On doit à Hippocrate (mort en l'an 356 avant Jésus-Christ) d'avoir libéré la chirurgie de la magie et de la sorcellerie qui l'entouraient. Il a su instaurer un esprit scientifique, notamment par l'observation attentive des patients avant, pendant et après les interventions.

Les cas les plus anciens de chirurgie réparatrice retenus par l'histoire parviennent toutefois des Hindous qui pratiquaient régulièrement la rhinoplastie ou, si l'on préfère, la correction du nez. Leurs traditions infligeaient à la femme infidèle l'ablation du nez. Aussi une chirurgie de réfection s'est-elle développée pour assurer la réhabilitation sociale de ces femmes mutilées. Chez les Grecs et les Romains, le même châtiment s'appliquait aux prisonniers de guerre.

Pendant tout le moyen âge, on semble oublier les enseignements d'Hippocrate. Un historien de la médecine a écrit à ce sujet : « Rien n'est plus éloigné de la conception scientifique que l'esprit de ce temps ». La médecine devient alors l'apanage des moines et des prêtres, tandis que la chirurgie est reléguée à des chirurgiens-barbiers qui effectuent les réfections du nez et diverses autres corrections mineures.

Figure 1 Méthode italienne de reconstruction du nez au moyen âge. Utilisation de la peau du bras.

À la Renaissance, l'ouverture d'écoles d'anatomie permet enfin une meilleure connaissance du corps et, partant, des corrections à lui apporter. Quelques chirurgiens réussissent à s'illustrer et, parmi eux, Tagliacozzi, reconnu pour ses rhinoplasties et ses greffes de peau. Il est fustigé par l'Église qui condamne ses interventions inopportunes sur le corps. On retirera même, en signe de désapprobation, les statues érigées en son honneur.

Au fil des ans, la chirurgie réparatrice se définit de plus en plus comme chirurgie plastique et s'attaque à toutes les parties du corps. De façon générale, ce sont les guerres qui rendent nécessaires toutes ces interventions. Depuis les temps anciens jusqu'à la guerre 1939-1945, la chirurgie plastique se confond, en effet, avec la chirurgie militaire.

Le XXe siècle

Au XXe siècle, l'image altérée du corps est de moins en moins acceptée. La chirurgie plastique d'après-guerre — celle des années suivant la dernière Guerre mondiale — connaît une évolution marquante. Forts de l'expérience acquise, les chirurgiens s'attaquent à bon nombre de malformations congénitales jusqu'alors demeurées sans solution. Cependant, ce que l'on corrige encore et toujours c'est la forme, afin de la rendre acceptable.

Durant les années 60 se développe, parallèlement à la reconstruction des formes, un intérêt marqué pour la fonction esthétique, de sorte qu'on ne peut plus guère aujourd'hui dissocier la chirurgie plastique de la chirurgie esthétique, tant l'une et l'autre se complètent. Qu'il s'agisse de traumatismes, de malformations ou de problèmes strictement cosmétiques, toute correction apportée au corps se fait maintenant avec le souci constant de tirer le meilleur parti possible des techniques modernes de chirurgie.

CONSIDÉRATIONS SOCIALES

La société d'aujourd'hui se veut une société en forme; elle est aussi, et de plus en plus, une société en quête de santé, de loisirs et de bien-être. L'image positive de la corpulence, qui représentait hier la richesse, l'abondance et la sécurité, n'a plus cours ; ce que l'on recherche maintenant, c'est la souplesse, l'agilité, bref l'aisance des mouvements. Cette image n'est pas étrangère au culte de la beauté qui se manifeste clairement à travers un grand nombre de cultures différentes. Cet état de fait explique en bonne partie tout le développement récent, et même internationalisé, de la chirurgie esthétique, qu'il s'agisse de la correction de traits négroïdes prononcés, des yeux bridés des Asiatiques, de l'aspiration des excès de graisse chez les Nord-Américains, voire de l'ablation de la bosse nasale chez les Anglo-Saxons.

Il est intéressant de souligner l'effort d'adaptation des chirurgiens pour s'ajuster à ces critères culturels de beauté. Un danger demeure, celui d'uniformiser et même d'occidentaliser tous les visages. Aussi tente-t-on, dans le domaine esthétique, de sauvegarder toutes les caractéristiques individuelles qui personnalisent l'individu.

Évolution des vingt dernières années

Le défi qui consiste à préserver ces caractéristiques individuelles n'exclut pas pour autant les tendances répandues à l'intérieur même de nos sociétés. À titre d'exemple, on peut citer la libération de la femme. Bien qu'elle ait touché divers points du globe au même moment, elle ne s'est pas manifestée partout par les mêmes exigences ou les mêmes besoins.

Au Québec, comme dans bon nombre de sociétés occidentales, cette libération a coïncidé avec une revalorisation du corps et une demande grandissante pour un type de chirurgie : celui de l'addition et de la réduction mammaire. Compte tenu de la constitution physique des femmes québécoises, les chirurgiens ont dû, dans les cas d'addition mammaire, se procurer des prothèses plus petites que celles qu'on trouvait ordinairement sur le marché nord-américain. Fabriquées aux États-Unis, ces prothèses contenaient 300cm^3, alors que 120cm^3 suffisaient à la morphologie des Québécoises.

En outre, nos chirurgiens formés aux États-Unis se sont vite rendus à l'évidence : les nez retroussés et les greffes de cartilage dans la pointe constituent des techniques difficilement exportables au Québec où, conformément à notre tempérament latin, nous préférons les nez droits.

Si la société en quête de santé et de valorisation de l'image du corps a encouragé divers types de chirurgies esthétiques ou réparatrices, d'autres facteurs, économiques cette fois, ont également contribué à cet essor. Tout d'abord l'accessibilité. Il n'est plus vrai de dire que ces chirurgies s'adressent aux mieux nantis. De façon générale, la clientèle est représentative du consommateur moyen.

De leur côté, l'amélioration des techniques et la constitution de centres spécialisés où l'on regroupe les services ont contribué à diminuer la durée de l'intervention et, par le fait même, le coût des opérations.

Enfin, au Québec, l'assurance-maladie absorbe les coûts de certaines interventions, notamment celles qui corrigent des problèmes fonctionnels tels que le nez dévié et obstrué, le tablier graisseux abdominal ou les seins hypertrophiés.

QUI CONSULTE ? POURQUOI ET QUAND ?

Les personnes qui consultent un chirurgien plasticien sont habituellement celles qui accordent beaucoup d'importance à leur apparence, à ce qu'on appelle « le paraître ». Depuis quelques années, cette clientèle s'est modifiée. Alors que, dans les années 70, les gens de 50 ans et plus formaient le groupe-cible, on note aujourd'hui un rajeunissement de la clientèle d'environ une dizaine d'années.

Les femmes consultent encore beaucoup plus que les hommes, bien que le nombre de ces derniers augmente sans cesse. Pour l'instant, ils composent de 10 à 20% de la clientèle. Les jeunes forment un troisième groupe de patients chez qui l'on pratique surtout des chirurgies du nez, des oreilles et des seins.

Pourquoi décide-t-on, un jour, de consulter un chirurgien plasticien ? Pour plusieurs raisons qui dérivent toutes d'un désir fondamental, **être bien dans sa peau.**

Il faut donc reformuler la question. Pourquoi veut-on être bien dans sa peau ? Sans doute pour être en accord avec les valeurs actuelles que véhicule la société. Les mentalités, on le sait, ont beaucoup changé. On valorise plus qu'auparavant l'entretien du corps, la prolongation de la jeunesse, et tout ce qui est lié de près ou de loin à l'apparence. La télévision et la mode, de leur côté, encouragent cette tendance.

Ce remue-ménage dans nos valeurs donne une place prépondérante à l'image du corps. À partir de ce simple constat, bien des décisions se prennent pour corriger une disgrâce ou gagner quelques années de sursis...

Des raisons plus personnelles peuvent aussi conduire au bureau du chirurgien. Pour certaines personnes, ce sera le divorce et une remise en forme autant physique que psychologique, afin de favoriser un second départ. Pour d'autres, et c'est sans doute là la situation la plus fréquente, il s'agira de combattre un des inconvénients de la quarantaine. Alors que le cœur et l'esprit restent jeunes, le corps, lui, prend de l'âge et trahit, en quelque sorte, cette jeunesse intérieurement préservée. En réparant le physique, on dépose un peu de baume sur le psychique. Une patiente, un jour, a exprimé en termes beaucoup plus simples cet état d'âme : « Je me sens comme ma voiture, confia-t-elle, le moteur tourne à merveille, mais la carrosserie donne des signes de vieillissement ».

Enfin, des situations imprévues peuvent expliquer aussi un recours à la chirurgie esthétique. Cela peut être un accident, une disgrâce accentuée avec les années, les séquelles d'une opération ou encore les suites d'une grossesse.

Bon nombre de personnes consultent un chirurgien plasticien après mûre réflexion, pour des raisons et à un moment qui correspondent à un choix que rien ni personne ne saurait ébranler. On ne peut en dire autant pour ceux ou celles qui se présentent sous le coup d'une impulsion. Ces visites au chirurgien, non planifiées, se concluent presque toujours par une annulation de la rencontre préopératoire.

L'influence de parents ou d'amis ayant déjà subi une intervention joue un rôle important dans la décision de consulter un chirurgien. Cette influence comporte à la fois des avantages et des inconvénients. Elle conduit à la clinique de futurs patients déjà avertis du processus opératoire et des résultats. Par ailleurs, elle laisse chez certains cette fausse impression qui consiste à croire que les résultats obtenus chez un patient donné peuvent intégralement s'appliquer à un autre. Si, de fait, l'habileté d'un chirurgien recommandé par des proches varie peu d'une intervention à l'autre, il en est tout autrement de la guérison qui demeure un facteur très personnel et détermine la qualité même des résultats.

Enfin, certains moments difficiles de la vie incitent à prendre le chemin de la clinique pour « réparer des ans l'irréparable outrage ». Il faut ici nommer la déprime et, dans son sillon, la ménopause, moment difficile où, dans bien des cas, le miroir renvoie à la femme une image qui ne correspond plus à ses attentes.

Deux attitudes s'imposent alors : accepter les traces visibles du poids des ans ou les repousser et avoir recours à la chirurgie esthétique. Ces deux attitudes, il va sans dire, doivent faire l'objet d'un même respect ; elles reflètent une perception toute personnelle de la vie. À des femmes indécises qui se présentent en consultation, le médecin consciencieux proposera quelques mois de réflexion. Dans d'autres cas, plus rares cependant, il manifestera son intention ferme de ne pas opérer, pour éviter à sa patiente de graves conséquences psychologiques.

PAS DE MIRACLE, MAIS DES RÉUSSITES

Il existe parfois un écart important entre ce que l'on attend de la chirurgie et les possibilités qu'elle offre. Plus la préparation du patient ou de la patiente est adéquate, plus cet écart s'estompe. En somme, la satisfaction est fonction des attentes et les attentes dépendent de la qualité de la préparation reçue. Il faut donc établir un climat de confiance mutuelle entre le médecin et son patient.

Lors de la première rencontre, le rôle du chirurgien consiste à proposer des corrections qui respectent une cohérence entre l'image de départ et celle qui suivra l'opération. Il incombe souvent au praticien de combattre chez ses patients les évaluations toutes personnelles et les subjectivités qui les accompagnent. Il ne peut faire de miracle ni corriger chacune des parties du corps pour atteindre, en tous points, la perfection proposée par les canons de la beauté. En revanche, il peut améliorer la morphologie en corrigeant certaines parties, ce qui aura un effet esthétique sur l'ensemble du corps.

De son côté, le rôle du patient ou de la patiente doit être celui de la collaboration. Il lui faut relater au médecin son histoire médicale, c'est-à-dire le détail des maladies antérieures et des médications passées et présentes. Le moment de l'opération est aussi choisi en fonction de la profession, des activités, etc. Quant aux appréhensions concernant l'opération ou l'anesthésie, elles se dissiperont dans la mesure où elles seront signalées au chirurgien, puis discutées avec lui.

Il n'existe pas de chirurgie du bonheur

Les garanties de réussite ne se limitent pas aux résultats apparents ; elles concernent également l'état psychologique postopératoire. Quand tous les détails de l'opération ont été soigneusement planifiés, il reste encore, après l'opération, deux éléments de réussite ou d'échec qui appartiennent en propre à la personne opérée.

En premier lieu, on n'insistera jamais assez sur la nocivité de certaines habitudes de vie. L'alcool, la cigarette et la mauvaise alimentation retardent le processus de guérison. Dans bien des cas, ils provoquent des saignements et nuisent à la formation du tissu cicatriciel.

En second lieu, la réussite — ou l'échec — de l'intervention dépend de la manière dont on perçoit sa nouvelle image. Qu'il s'agisse de lifting facial, de réduction ou d'addition mammaire, voire même de correction de la calvitie, la transformation d'une partie du corps entraîne des effets psychologiques qui se répercutent dans la vie quotidienne. Si, malgré une préparation adéquate, les résultats obtenus sont inférieurs aux attentes du patient, la réussite esthétique, si extraordinaire soit-elle, n'aura pas d'effet positif sur l'image intérieure, ni sur les perceptions intimes qu'il a de lui-même. En termes brefs, une personne physiquement rajeunie, mais déçue de résultats pourtant excellents, vivra négativement sa nouvelle image. Au contraire, une personne satisfaite de résultats équivalents donnera à tous l'impression de vivre en parfaite harmonie avec son corps. On dira d'elle qu'elle est bien dans sa peau.

VIVRE SA NOUVELLE IMAGE

En médecine esthétique, le moment critique demeure toujours celui de l'après-chirurgie. Par expérience, les chirurgiens savent que l'image personnelle, telle qu'elle se présente avant l'opération, n'est que très rarement rejetée dans sa totalité. Ce sont plutôt des détails qui retiennent l'attention et qui, finalement, conduisent à l'opération. Les personnes opérées désirent, au fond d'elles-mêmes, retrouver leur image ; elles veulent se reconnaître.

Malheureusement, dans les jours qui suivent l'opération, cette image se perd à cause de gonflements, d'ecchymoses et de déformations temporaires que bon nombre d'opérés qualifient de terrifiantes ou de risibles, selon qu'ils sont ou non inquiets à ce sujet.

Vivre véritablement sa nouvelle image peut prendre de trois à six mois, ce qui est le temps nécessaire au rétablissement complet des structures de l'organisme. Compte tenu de l'opération pratiquée, la disparition des gonflements disgracieux prend de 15 à 25 jours. L'absence d'expression, dans les cas de lifting facial, se corrige dans une proportion de 80% lors de la disparition des gonflements, et se rétablit dans les mois qui suivent.

Dans le cas de lifting relativement tardif, il se produit un écart assez visible entre l'ancienne et la nouvelle image, écart dû, en particulier, à l'effet de la traction. Cela peut donner au visage un air « empesé » et des traits lissés pendant les six premiers mois. Pour éviter cet aspect figé, certaines personnes — à la suggestion du chirurgien la plupart du temps — choisissent plutôt de conserver quelques rides et ridules d'expression. Elles ne vivent que plus sereinement, par la suite, leur nouvelle image.

DÉMYSTIFIER L'INSTANTANÉITÉ DES RÉSULTATS

Dans toutes les interventions, le temps se pose en maître d'œuvre pour assurer la guérison. L'affront chirurgical, c'est-à-dire la plaie laissée par l'opération, constitue une attaque. Le corps y répond en mettant à l'œuvre ses ouvriers : ce sont les cellules qui fabriquent le tissu cicatriciel.

Le processus de guérison agit à tous les niveaux. Il exerce son action sur la peau, la graisse, les muscles, les nerfs, les vaisseaux, les os et les cartilages. Il varie selon l'âge et le problème corrigé. Chez les jeunes opérés, les cellules — ouvriers trop zélés — ont souvent tendance à se multiplier exagérément et de façon désordonnée ; il en résulte des cicatrices vicieuses. Chez les gens âgés, la guérison peut être retardée par des problèmes de vascularisation.

La durée de la guérison dépend de la région opérée. Les endroits de moindre tension, comme la paupière supérieure, cicatrisent plus rapidement. Après quelques mois, il ne reste qu'une ligne blanchâtre, quasi invisible. La chirurgie du ventre, par ailleurs, guérit plus lentement et la cicatrice tend à s'élargir en réponse à la traction exercée sur la peau.

POINTS À RETENIR

CONSEILS PRATIQUES

— Consulter en premier lieu son médecin de famille ;

— Garder son sens critique, même devant le chirurgien le plus réputé ;

— Consulter plus d'un chirurgien, et éviter celui qui veut précipiter l'opération ;

— Respecter un certain laps de temps entre la consultation et l'opération ;

— Se soumettre à un examen préopératoire qui comprend : formule sanguine, examen pulmonaire, examen d'urine, électrocardiogramme (pour les plus de 40 ans) et photographie. Celle-ci permet une meilleure évaluation, de plus, on l'utilise à titre comparatif pendant et après l'opération ;

— S'abstenir d'ingurgiter de l'aspirine afin d'éviter les risques d'hémorragie ;

— Limiter tout effort physique dans les heures qui précèdent l'opération ; laver et désinfecter la région à opérer ; se présenter à jeun.

L'ANESTHÉSIE

L'ANESTHÉSIE LOCALE : substance insensibilisante comme la xylocaïne ou la marcaïne injectée sous la peau ou près des nerfs. La région est anesthésiée pour une période variant de 1 à 4 heures. La personne opérée est consciente des manipulations, mais ne ressent aucune douleur.

LA NARCOSE : injection intraveineuse de médication calmante (morphine, valium, sublimaze ou kétamine). Elle plonge la personne opérée dans un état d'indifférence, de somnolence et d'insensibilité qui permet les manœuvres plus compliquées d'injection d'anesthésie locale et des manipulations autrement douloureuses.

L'ANESTHÉSIE GÉNÉRALE : médication qui place l'opéré(e) dans un sommeil artificiel nécessitant une ventilation assistée, c'est-à-dire l'aide d'un appareil respiratoire.

L'ÉPIDURALE OU BLOC PÉRIPHÉRIQUE : anesthésie locale, injectée cette fois près des nerfs, à leur sortie de la colonne vertébrale.

LES CICATRICES

Il faut avant tout retenir que le chirurgien fait l'incision, mais qu'il revient aux patients et aux patientes de réparer les tissus.

LES FACTEURS DE GUÉRISON

L'ÂGE : les personnes très jeunes (jusqu'à 20 ans) guérissent souvent trop vite et cicatrisent moins bien. Les personnes plus âgées guérissent plus lentement, mais, en contrepartie, cicatrisent mieux.

LE TYPE DE PEAU : généralement les teints foncés et la peau plus épaisse font des cicatrices plus larges qui blanchissent cependant plus rapidement. Les teints rosés et la peau fine font des cicatrices plus minces qui restent rosées plus longtemps.

LA TENSION ET LA LOCALISATION : principal facteur de guérison. Plus la pression exercée sur la ligne de suture est forte, plus la cicatrice s'élargit. Les cicatrices logées dans les plis naturels de la peau entraînent moins de tension et guérissent mieux.

LES TYPES DE CICATRICES

LA CICATRICE NORMALE : elle est filiforme dans les premières semaines et s'épaissit de la 3e semaine au 3e mois, pour ensuite commencer à s'atténuer. Elle atteint son stade final entre le 10e et le 12e mois.

LA CICATRICE HYPERTROPHIQUE : filiforme dès le départ, elle s'épaissit à partir du 4e mois pour former un cordon dur et douloureux souvent accompagné de démangeaisons. Après un an, on injecte localement de la cortisone si l'induration persiste. Après 24 mois, la cicatrice est lisse, blanchâtre, mais élargie.

LA CICATRICE VICIEUSE OU CHÉLOÏDIENNE : les cellules travaillant à la guérison se multiplient en trop grand nombre et déforment la cicatrice ; elle est ronde, bosselée et douloureuse. L'injection de cortisone et, dans certains cas, la radiothérapie atténuent les chéloïdes.

CHAPITRE 2

LE VISAGE

Le visage étant la partie du corps la plus visible et la plus expressive, il attire davantage le regard. C'est un peu l'identité apparente de tout individu. Pour cette raison, il constitue le champ d'action privilégié de la chirurgie esthétique.

Cette identité apparente s'exprime de deux façons. Elle se définit d'abord par l'image que l'individu possède de lui-même, ainsi que par celle qu'il projette et rend visible aux yeux de tout observateur. De là naît, lors de la consultation chirurgicale, l'importance d'une évaluation basée sur ce que le patient perçoit de lui-même et sur ce que le chirurgien observe en le regardant. Celui-ci, à l'aide du patient ou de la patiente, tente de concilier le tout afin de suggérer les corrections adéquates.

L'identité apparente demeure en tout temps une donnée cruciale. Après une chirurgie, la plupart des patients s'inquiètent de sa disparition passagère provoquée par les gonflements et les hématomes. Ils ne se reconnaissent plus. À cet égard, les trois premières semaines suivant l'opération sont difficiles à traverser. Les commentaires des parents et amis devant la modification du visage habituel alimentent d'ailleurs cette inquiétude. Mais, insistons là-dessus, le problème n'est que temporaire, et cela à un point tel que même si l'on tentait volontairement de modifier l'identité, celle-ci persisterait à réapparaître malgré de multiples chirurgies.

La base de l'identité apparente réside, hors de tout doute, dans l'expression du visage qu'aucun bistouri ne saurait altérer. Cette expression, venue de l'intérieur, dit la façon dont on affronte la vie et ne peut être changée que par l'individu lui-même. Ainsi, les rictus profonds s'adoucissent, d'abord et avant tout, par une attitude plus positive face aux aléas de la vie quotidienne. La chirurgie, de son côté, s'attaque à l'effet superficiel : elle retend la peau et atténue les plis. Jamais elle ne corrigera les états d'âme.

Il arrive, par ailleurs, que des défauts anatomiques viennent perturber l'expression du visage. Des sourcils descendus sur un front osseux suggèrent une expression colérique ; des « poches » sous la paupière inférieure (formées par des dépôts graisseux) donnent au visage un air fatigué. À ce niveau, la chirurgie sait aider la nature, et les corrections qu'elle apporte perdurent puisque, fondamentalement, le problème ne résulte pas d'une attitude négative imprimée sur le visage.

LES DIFFÉRENTES PARTIES DU VISAGE

Tout individu peut reconnaître un beau visage, mais peu de personnes savent d'où proviennent ces critères socialement reconnus qu'on attribue à la beauté et qui servent de modèle aux chirurgiens plasticiens. Ces critères ont été empruntés aux chefs-d'œuvre de la peinture et de la sculpture. Parmi les maîtres de l'art, s'est tout particulièrement distingué Michel-Ange qui apprit à dessiner l'image véritable du corps à partir de dissections anatomiques pratiquées par un ami chirurgien. On était alors à l'époque de la Renaissance italienne, époque où se développait dans les arts plastiques l'étude des formes humaines et, partant, celle de l'image du corps. Les canons esthétiques élaborés à ce moment ont abouti à des normes qui servent aujourd'hui de référence.

Le visage, comme le montre la figure 2, a été divisé en trois parties : le front, le tiers moyen (comprenant le nez et la lèvre supérieure) et le tiers inférieur localisé au maxillaire infé-

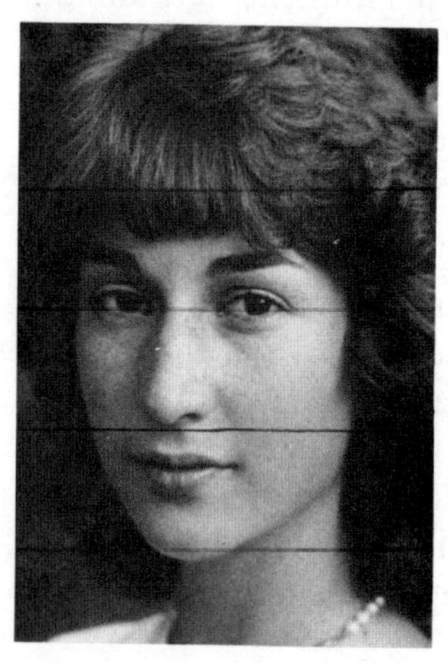

Figure 2 Étude de proportions.
La norme des tiers.

rieur. Le profil, grandement étudié en chirurgie du nez, dessine idéalement une ligne droite depuis le front jusqu'au menton. Cette ligne croise une perpendiculaire passant par l'oreille et l'œil, que l'on appelle la ligne de Francfort. Le nez, par rapport à la ligne verticale front/menton, s'incline à 30 degrés. Les yeux respectent également la norme des tiers. Le site de l'œil bordé par les paupières doit être égal, dans son étendue, à l'espace contenu entre les yeux. Des repères de symétrie constitués par les yeux, l'occlusion dentaire et les lèvres servent aussi à harmoniser le visage.

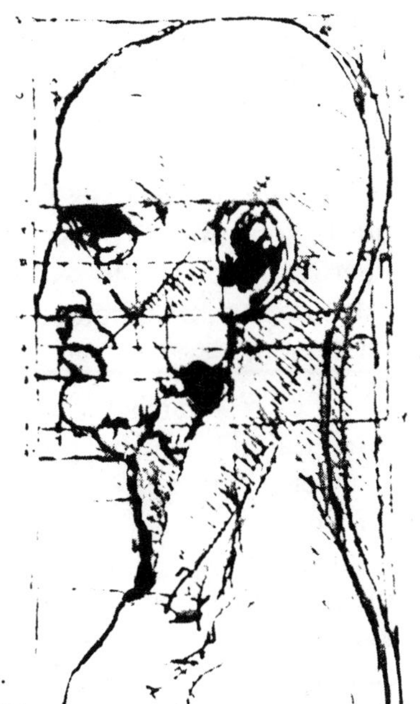

Figure 2a Dessin de Léonard de Vinci.

La chirurgie du visage comprend les corrections du nez et du menton, celles des sourcils, des paupières, des joues, des oreilles, du cou, du cuir chevelu et, de façon plus globale, le lifting facial. Dans tous les cas, la préoccupation première du chirurgien est de toujours tenir compte de l'ensemble. Chaque intervention devient un réaménagement d'une partie de cet ensemble qu'il faut obligatoirement respecter. À titre d'exemple, un nez trop diminué dans un visage large ou rondelet ne conviendrait nullement.

Une autre caractéristique du visage, et qui doit aussi être respectée, tient à son asymétrie ; la partie gauche et la partie droite ne sont jamais égales. Il suffit, pour s'en convaincre, de juxtaposer à l'aide d'une photographie les deux côtés gauches ou les deux côtés droits d'un visage pour en fabriquer un nouveau. Cette caractéristique peu connue des patients et des patientes s'inscrit dans les divers points à traiter lors de la rencontre préopéraoire.

La très grande innervation du visage, bien connue et facilement repérable, permet d'utiliser une anesthésie locale, amplement suffisante dans la plupart des cas. Un supplément de médication calmante vient habituellement aider les patients à traverser l'expérience, non seulement sans douleur, mais aussi sans inquiétude.

La tête étant très vascularisée, il se produit après toute intervention des gonflements et des ecchymoses. Ces effets immédiats, même s'ils occasionnent des désagréments, parce qu'ils sont très visibles, se convertissent en alliés lors de la guérison. De fait, lors d'une chirurgie du visage, l'infection est plutôt rare; si toutefois elle se manifeste, elle disparaît facilement.

Les résultats sont liés d'abord à la qualité de la peau. En effet, qu'on la soulève pour réduire l'ossature ou qu'on la coupe pour en enlever le surplus, seules sa finesse et sa souplesse lui permettent de se mouler à nouveau sur les structures profondes pour garantir la réussite parfaite de l'intervention. Le second facteur de guérison, propre cette fois à chaque individu, dépend de la production de cellules lors de la cicatrisation. La peau décollée adhère aux structures par l'action de ces cellules réparatrices qui contribuent directement à assurer une bonne guérison. La trop grande multiplication de ces cellules retarde la guérison et l'aspect final est reporté d'autant. À la limite, bien que cela ne se présente que très rarement, des cellules multipliées en trop grand nombre pourraient compromettre les résultats et nécessiter des retouches.

LE NEZ

Le nez, par la place qu'il occupe au centre du visage, joue un rôle de premier plan ; il représente son aspect sculptural. Il équilibre le profil par sa projection et son angle.

On lui a, de tout temps, accordé beaucoup d'attention, particulièrement lorsqu'il ne se conformait pas aux canons esthétiques. Ainsi, des individus se voient identifiés par leur nez trop grand, trop petit, arqué ou épaté. Quand, par bonheur, il passe inaperçu, il faut s'en réjouir ; c'est qu'il s'harmonise parfaitement à l'ensemble du visage.

De toutes les interventions en chirurgie esthétique, la correction du nez est la plus pratiquée. C'est également la plus ancienne, comme on l'a précédemment souligné (ablation infligée aux femmes infidèles dans l'Antiquité, et traumatismes consécutifs aux innombrables guerres qui ont jalonné l'histoire de l'humanité).

Le nez représente beaucoup plus qu'une caractéristique individuelle. C'est une caractéristique familiale et, dans un sens plus large, une caractéristique raciale ou ethnique. Il se métamorphose tout au long des étapes de la vie. Dès l'adolescence, il attire l'attention par ses changements de forme. Il prend des proportions quelquefois démesurées par rapport à l'ensemble du visage. Jusqu'à l'âge de 18 ans — c'est à ce moment qu'il parvient à maturité — parents et enfants s'inquiètent de son apparence, surtout quand il rappelle une caractéristique familiale bien établie.

C'est en ce début de vie adulte qu'un nez imparfait est soit accepté comme constituante de la personnalité, soit refusé. Si cela s'impose, on peut déjà prendre les moyens nécessaires pour le corriger.

Au cours de la quarantaine, l'affaissement du nez et l'atrophie des tissus commencent à se manifester. Il devient plus proéminent et, avec les années, présente une pointe tombante. Au cours de la vieillesse, l'épaississement de la peau et des changements de coloration, particulièrement chez l'homme, entraînent des modifications encore plus accentuées.

L'acceptation ou le refus

Si la majorité des gens acceptent la forme de leur nez, d'autres en font un véritable problème de personnalité. Dans certains cas, il déforme indiscutablement le visage alors que, dans d'autres, il attire tout simplement l'attention ou ne correspond pas aux désirs et aux goûts personnels. Toutes ces raisons font l'objet d'une égale attention du praticien lors de l'évaluation préopératoire.

La décision de recourir à la chirurgie se révèle toujours difficile à prendre, surtout pour les gens d'un certain âge, habitués depuis leur plus tendre enfance à accepter les imperfections de leur corps. Ils ressentent une certaine gêne à en faire corriger les disgrâces. Il y a une quinzaine d'années, cette gêne était amplifiée par les traces assez visibles que laissait la chirurgie esthétique. Ces cicatrices rendaient plus évident encore ce refus de s'accepter tel qu'on était.

Aujourd'hui, il n'est pas rare de rencontrer des opérés qui vivent une renaissance et qui, dans certains cas, cultivent même une forme de « marketing » de leur personne. À titre d'exemple, citons ces patients qui, après une chirurgie du nez, quittent leur profession pour exercer enfin celle dont ils ont toujours rêvé : une profession qui les maintient en contact quotidien avec le public et leur permet de garder un regard franc et droit devant tout interlocuteur.

Le chirurgien s'étonne toujours de l'impact psychologique de la chirurgie du nez, impact grandement apparenté à celui de la chirurgie du sein. La correction des seins redonne, en effet, une confiance en soi égale à celle que retrouvent les opérés du nez. Dans l'un et l'autre cas, on remarque une transformation psychologique de la personne qui prend une assurance jusqu'alors absente.

Il faut, en contrepartie, admettre que la chirurgie du nez ne règle pas tous les problèmes. Certains individus, qui ne s'aiment pas pour des raisons propres à leur histoire, utilisent souvent leur nez comme souffre-douleur de leur image corporelle. C'est là un faux problème qui en maquille un autre, beaucoup plus profond, lié à l'acceptation de soi et qui atteint l'individu dans sa personnalité même. Le chirurgien doit repérer cette « fixation », la mettre en évidence, puis en discuter avec le patient. Un nez, si parfait soit-il après l'opération, ne saurait résoudre un problème de cet ordre. En pareil cas, l'insatisfaction du patient, malgré la qualité du résultat, risque de se transférer avec acharnement sur le chirurgien.

La correction du nez demeure donc une intervention délicate. C'est celle qu'on pratique le plus fréquemment, mais c'est aussi la plus susceptible de provoquer des réactions psychologiques postopératoires. Pour ces raisons, elle exige une bonne entente préalable entre le chirurgien et le patient.

Morphologie

Le nez est formé d'une pyramide osseuse sur laquelle adhère une structure faite de cartilage, elle-même recouverte de peau dont l'épaisseur varie avec les individus. La cloison placée au centre du nez le divise en deux parties égales. L'entrée des voies respiratoires, tapissée par la muqueuse, doit jouer efficacement son rôle et laisser passer l'air sans obstruction.

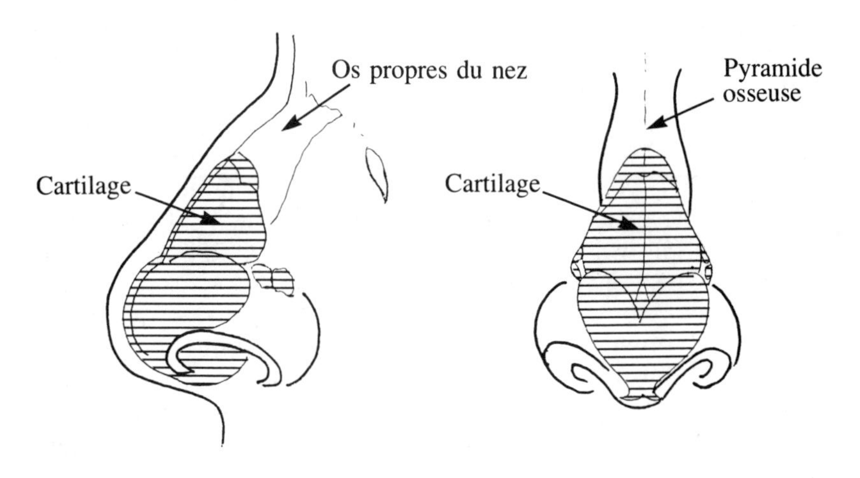

Figure 3 **Figure 3a**

Les problèmes

Les problèmes au niveau du nez sont de deux ordres. Ils sont fonctionnels et esthétiques, les uns et les autres étant souvent liés. Les problèmes esthétiques concernent l'hyperdéveloppement (nez trop gros) et l'hypodéveloppement (nez trop petit). Ceux d'ordre fonctionnel se rapportent à l'obstruction mécanique (provoquée par la déviation de la cloison) ou à l'obstruction provoquée par des allergies.

De tous les problèmes, le plus fréquent demeure celui de l'hyperdéveloppement. On le reconnaît à la bosse osseuse des nez gros ou arqués, ou encore à l'excès de cartilage amassé à la pointe du nez, ce qui donne une projection anormale de 45 degrés.

L'hypodéveloppement constitue le problème inverse. Il caractérise certains groupes ethniques. Il peut être congénital, résulter d'un traumatisme ou d'une chirurgie excessive.

La correction

La rhinoplastie représente toujours un défi pour le chirurgien. Il s'agit d'une intervention délicate centrée sur une relation harmonieuse du nez avec l'ensemble du visage. Le résultat dépend de la bonne évaluation des tissus à enlever, à placer et, dans certains cas, à greffer.

Avant l'opération

La rencontre préopératoire exige du patient qu'il connaisse ses véritables problèmes, qu'il exprime, en somme, ce qui lui déplaît ou le gêne. On l'informe des possibilités et des limites de la rhinoplastie appliquée à son propre cas, selon son type de tissus et les difformités qu'il présente.

Il faut retenir qu'on ne choisit pas un nouveau nez comme on choisit un vêtement dont on peut disposer lorsqu'il ne correspond plus à nos goûts et à nos exigences. L'intervention, au contraire, par son effet durable et déterminant, n'a rien d'une mode passagère.

Quand le problème est bien cerné et que, d'un commun accord, le chirurgien et le patient s'entendent sur les corrections à apporter, on procède à la photographie et aux examens préopératoires de routine.

Pendant l'opération

Il existe deux types d'anesthésie : l'anesthésie générale et l'anesthésie locale avec narcose. On utilise la narcose pour provoquer un sommeil passager pendant l'anesthésie locale. L'opération se fait par incision interne, dans les narines. On décolle alors la peau pour enlever la bosse osseuse et carti-

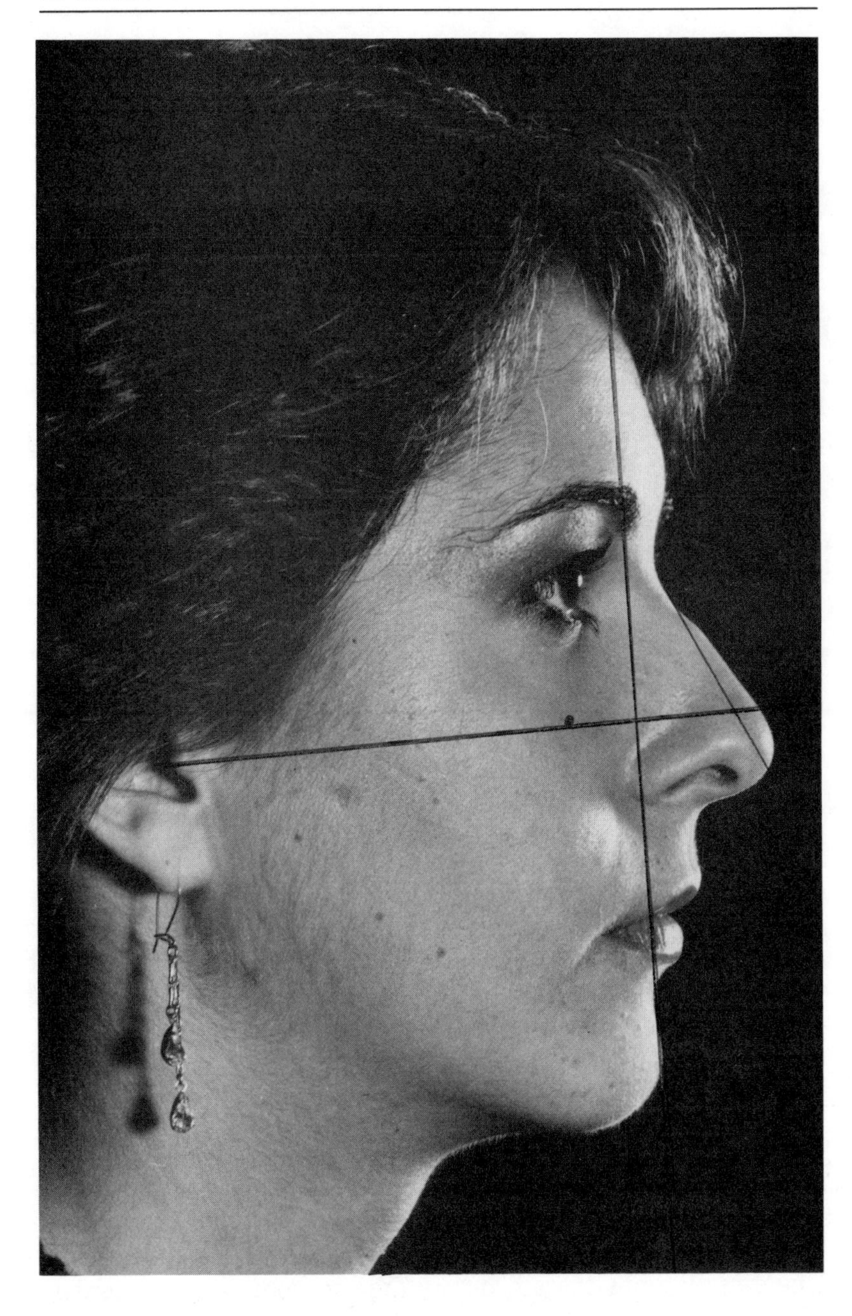

Figure 4 Dessin préopératoire. Évaluation de la correction.

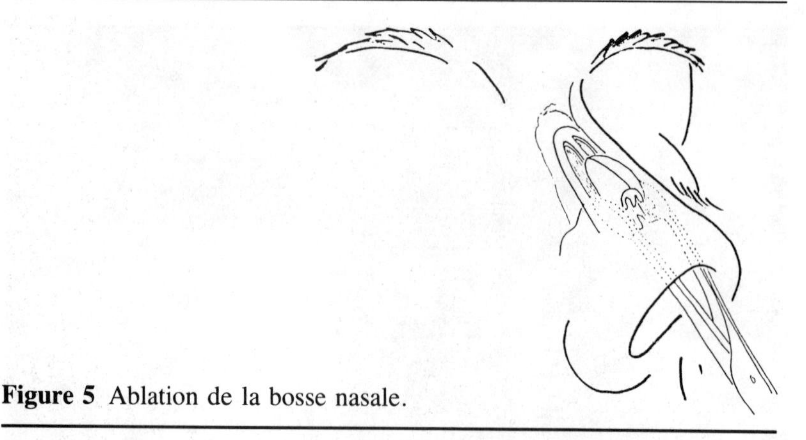

Figure 5 Ablation de la bosse nasale.

lagineuse. On fracture les os pour les rapprocher ensuite, ce qui permet de réduire la largeur du nez.

Dans 80% des cas, la rhinoplastie se complète par une réduction des narines afin de remodeler adéquatement l'ensemble du nez. On pose finalement un plâtre pour immobiliser le tout. On insère des mèches s'il s'agit de chirurgie au niveau de la cloison nasale. La réduction de la pointe du nez, bien sûr, n'exige ni plâtre ni mèche.

Après l'opération

Dans les heures qui suivent l'intervention, le site opéré et la partie environnante enflent et se couvrent d'ecchymoses. Les yeux se colorent et le nez s'obstrue, ce qui cause parfois des maux de tête. La respiration se fait par la bouche. Pour contrer les nausées, il faut alors éviter d'avaler les gouttes de sang qui ont pu dériver vers le tube digestif. La fatigue ressentie est normale et sans gravité.

On peut retourner chez soi quelques heures après l'intervention. On recommande à l'opéré un repos absolu dans les heures qui suivent, en position demi-assise. Si toutefois des douleurs se manifestent (elles sont habituellement minimes), le patient peut prendre les calmants prescrits par le chirurgien. Une diète liquide devrait, de préférence, composer le premier repas.

Au bout de 48 heures, on retire les mèches, s'il y en a. On enlève le plâtre et les points de suture une semaine plus tard.

Avant

Après

Figure 6 Correction de la bosse nasale.

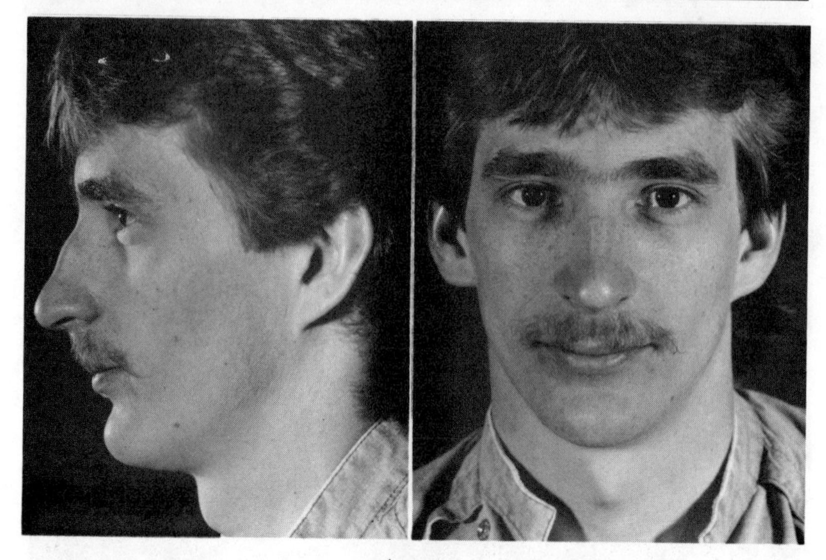

Avant

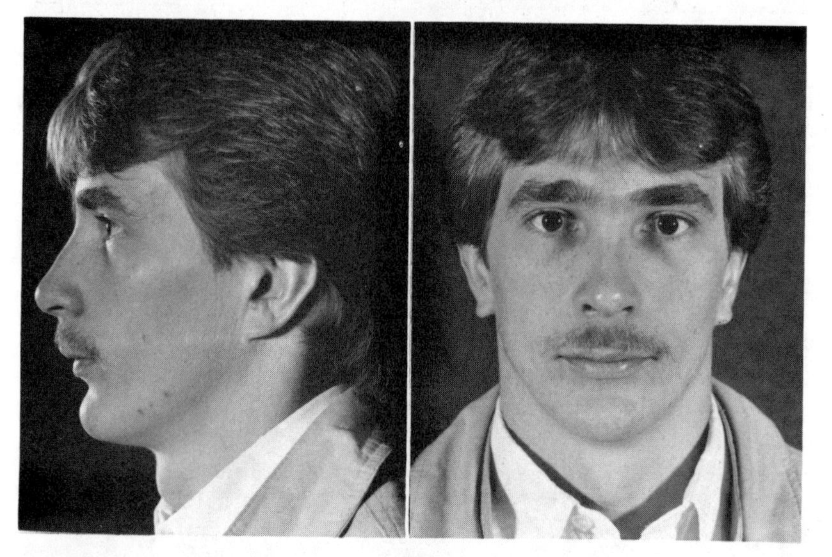

Après

Figure 6a Correction du nez.

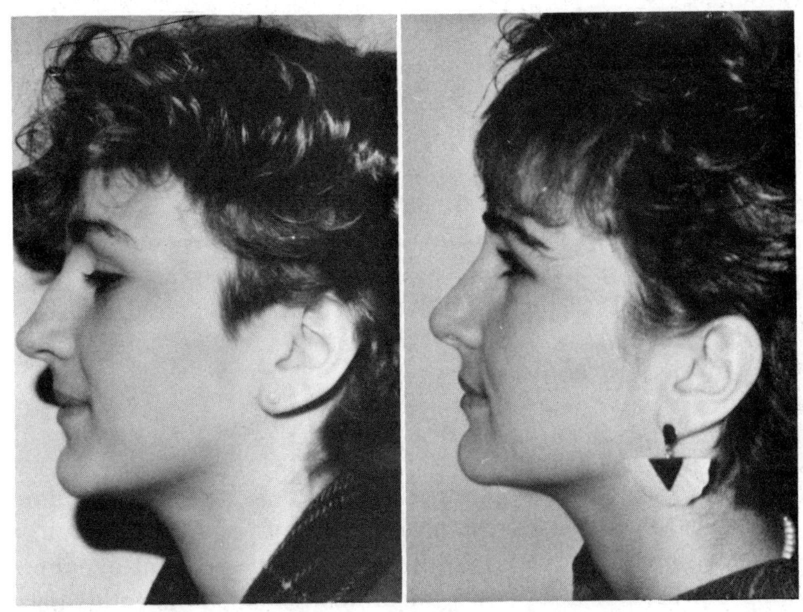

Avant Après

Figure 6b Correction du nez.

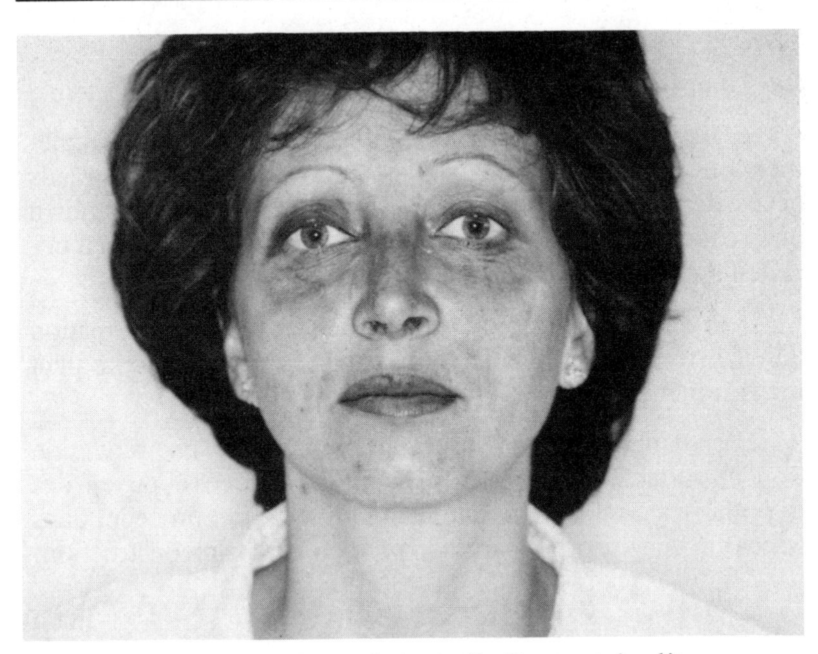

Figure 6c Une semaine plus tard. Après l'enlèvement du plâtre.

Aspect après une semaine

Le plâtre retiré, le nez présente un aspect gonflé, la pointe est engorgée. Certains patients ressentent, à ce moment, une déception passagère. Alors qu'ils s'attendent à des résultats définitifs dès la disparition du plâtre, le miroir leur renvoie l'image d'un nez encore difforme. Pour calmer cette appréhension subite, il suffit d'exercer une légère pression sur les parties gonflées par l'œdème ce qui donne, pour quelques instants, une idée approximative du résultat à venir. De façon générale cependant, la plupart des patients sont enthousiasmés à la vue de leur nouveau nez.

La guérison

Au bout des deux premières semaines, 80% de l'enflure disparaît. Les 20% qui restent se résorbent peu à peu au cours des six mois qui suivent. Le nez peut donc, pendant quelque temps, présenter des petites inégalités. La peau distendue par l'enflure doit se rétracter et trouver sa place. La grande inconnue, dans la guérison, demeure la qualité des cicatrices sous la peau. Dans une infime minorité des cas, des retouches sont nécessaires.

Les complications et dangers

Parmi les complications possibles, il faut noter les saignements importants dans les sept jours suivant l'opération ; ils nécessitent un tamponnement. Surviennent également, bien que ce soit très rare, des hématomes sous-cutanés. Ces amoncellements de sang disparaissent d'eux-mêmes.

On peut aussi déplorer, dans certains cas, la formation de cicatrices dures sous la peau ; une chirurgie mineure peut les éliminer facilement.

Les dangers consistent particulièrement en une réduction trop importante du nez (trop de tissus enlevés), ou en des irrégularités dans la nouvelle forme du nez. On procède, dans ces cas, à une greffe de cartilage pour en faire la reconstruction.

Les progrès actuels

De plus en plus, on utilise le cartilage morcelé pour corriger les difformités et les dépressions. En outre, le nez sera bientôt l'endroit de prédilection pour les injections de tissu graisseux et de derme obtenu par culture cellulaire.

LE MENTON

La chirurgie du nez est partie intégrante de la chirurgie du profil, qui comprend aussi la mentoplastie. De fait, la chirurgie du menton accompagne souvent celle du nez. L'harmonie du profil, après une correction du nez, nécessite souvent un réajustement de la position du menton. Pour cette raison, les frais de la mentoplastie sont habituellement inclus dans ceux de la rhinoplastie. Quand elle s'impose, la correction du menton demande au patient une adaptation plus grande à son image postopératoire. Le changement morphologique est en effet beaucoup plus radical.

Pour restaurer l'équilibre nez/menton, on fait une incision sous le menton ou dans la bouche. L'intervention consiste soit à insérer une prothèse pour augmenter le menton, soit à en réduire le volume en enlevant une partie de l'os maxillaire.

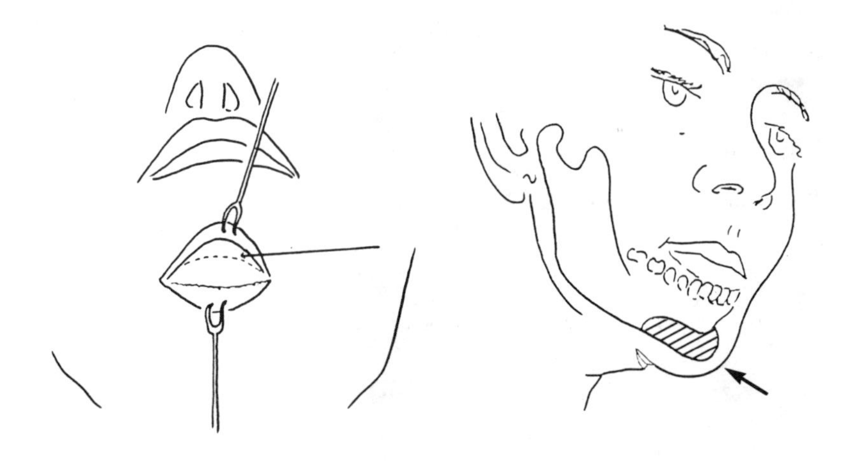

Figure 7 Incision sous le menton pour introduire une prothèse.

Figure 8 Prothèse en place.

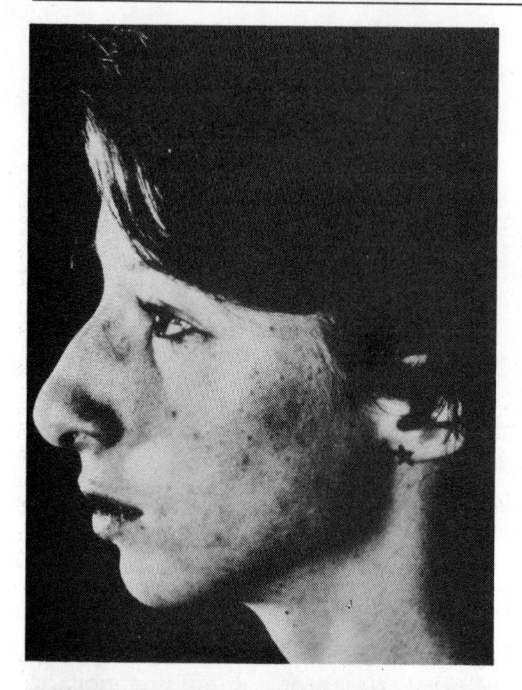

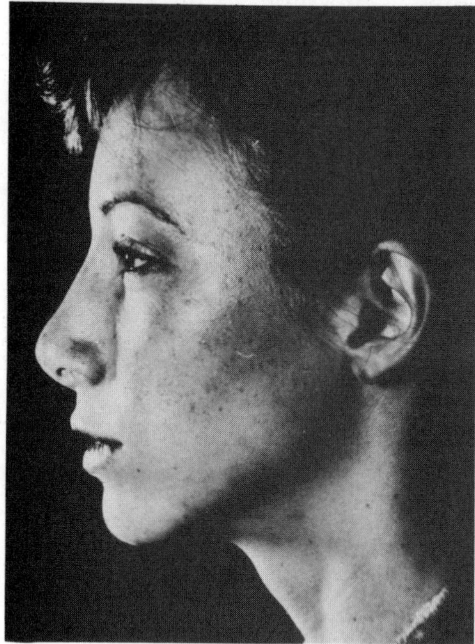

Figure 8a Chirurgie du profil.
Correction du nez et prothèse au menton.

Une autre intervention, très mineure, élimine la graisse amassée sous le menton par un procédé d'aspiration appelé liposuccion ou lipoaspiration (voir p. 126). Cette correction permet de bien redessiner la ligne menton/cou et d'alléger l'ovale du visage.

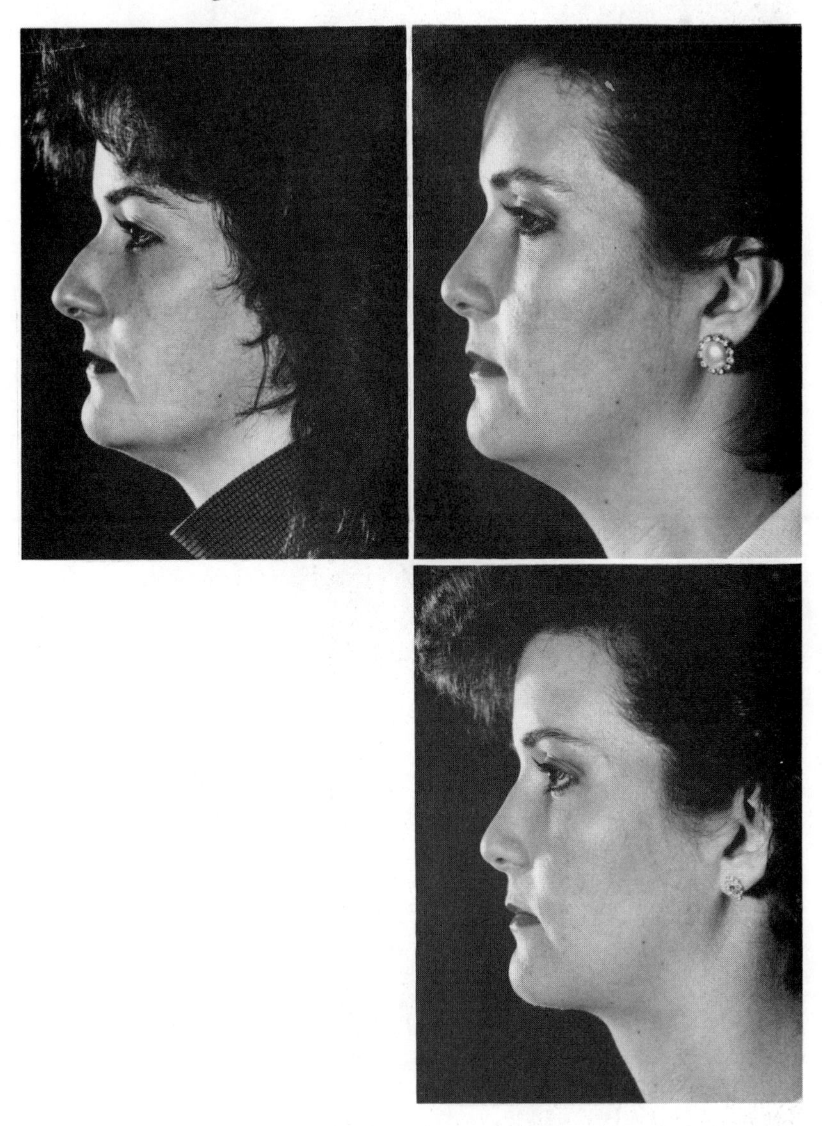

Figure 9 Photographie préopératoire.
Après correction du nez.
Après correction du menton par lipoaspiration.

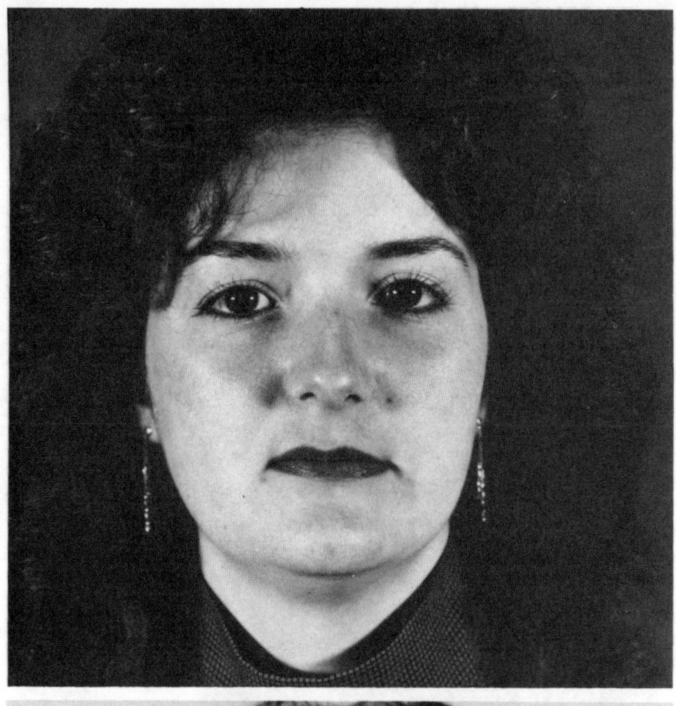

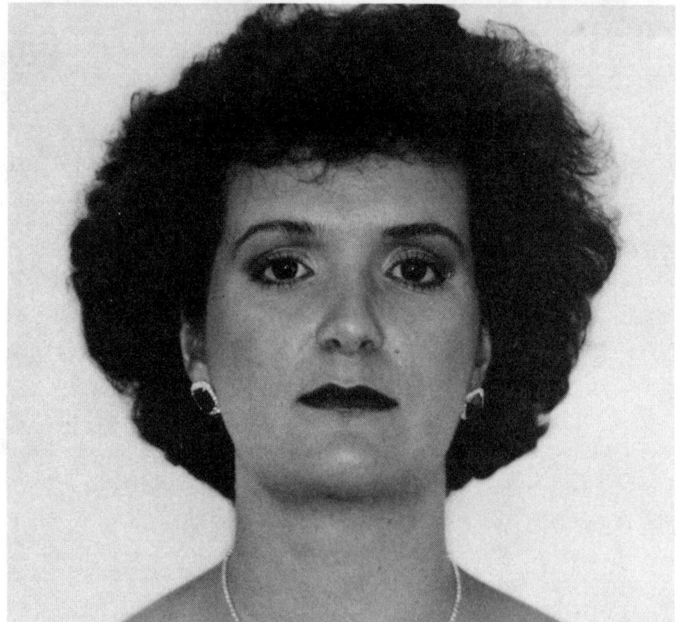

Figure 9a Photographie préopératoire.
Après correction du nez et du menton.

LA CHIRURGIE DES MAXILLAIRES OU CHIRURGIE DU SOURIRE ET DE LA BOUCHE

Qu'il accompagne ou non la parole, on peut dire du sourire qu'il rend perceptible notre vision positive du monde. Comme les yeux, il confère au visage son expression de communication.

Hélas, pour des raisons qui ne relèvent ni de l'état d'âme ni de l'expression des sentiments, le sourire est souvent retenu ou offert avec parcimonie. Il faut en chercher la cause dans la configuration du sourire, dans sa forme. Si la forme du sourire est atteinte d'une difformité plus ou moins prononcée, elle influence directement l'image que l'on projette.

Aujourd'hui, grâce au développement spectaculaire du traitement des difformités des lèvres et des maxillaires, on peut, dans la plupart des cas, rétablir la physionomie du bas du visage.

Les problèmes

Lorsque la bouche est entrouverte, la physionomie idéale du sourire laisse entrevoir un bon alignement des dents, sans excès de longueur ni de projection.

La gencive, peu apparente, ne doit pas trop couvrir la dent. Les problèmes concernent surtout les lèvres minces qui manquent de corps, la disproportion entre la lèvre supérieure et la lèvre inférieure et la non-fermeture des lèvres.

La correction

La chirurgie de la bouche et du sourire, qui est de fait la chirurgie des maxillaires, a pour but d'obtenir un bon alignement des dents ainsi qu'un sourire agréable. Pour y parvenir, on fracture les os des maxillaires dans leur portion visible, c'est-à-dire devant, pour les déplacer par la suite avec les dents qui y sont insérées.

Des fixations métalliques semblables à celles qu'on utilise en orthodontie immobilisent les portions déplacées des maxillaires; cette technique permet désormais aux opérés de ne pas être contraints à garder la bouche fermée pendant six semaines, comme c'était le cas il y a quelques années à peine.

Pourquoi alors ne pas se limiter à l'orthodontie ? Parce que celle-ci ne peut que déplacer ou faire pivoter les dents. La chirurgie des maxillaires, elle, permet de réduire, d'augmenter ou de déplacer les os des maxillaires par des techniques somme toute assez simples.

Avant l'opération

L'évaluation des cas, assez compliquée, exige une série de photographies de la bouche en position fermée, semi-fermée et ouverte.

Pour planifier adéquatement l'intervention, il faut faire un moulage des empreintes dentaires et prendre des radiographies qui permettent de visualiser les orbites, le nez et les maxillaires.

Ces diverses étapes ne s'accomplissent qu'avec la collaboration du patient. Avec le chirurgien, il étudie, à l'aide des moules plâtrés, la future juxtaposition des segments osseux de ses maxillaires et de ses dents. Le moulage des empreintes, qui présente déjà les déplacements à effectuer, donne une idée relativement juste des résultats à venir.

Il faut prévoir un séjour de 3 ou 4 jours à l'hôpital pour ce genre d'intervention.

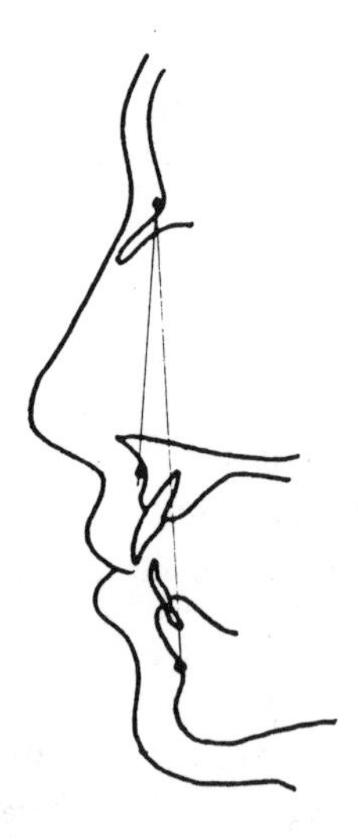

Figure 10 Évaluation de l'alignement des dents et des maxillaires.

Pendant l'opération

On administre, selon le cas, une anesthésie générale ou locale avec narcose. Les incisions se font à l'intérieur de la bouche, au niveau des muqueuses buccales. La portion d'os à déplacer (avec les dents) est décollée de la peau et des muscles, puis fracturée. On rétrécit ou on augmente ce segment pour reculer ou avancer les maxillaires.

Les muqueuses incisées sont ensuite suturées. L'immobilisation des portions d'os déplacées se fait par des fixations orthodontiques qui rappellent celles que portent les enfants pour corriger une mauvaise position des dents.

Après l'opération

Après l'opération, un gonflement excessif s'installe dans la région opérée. Il déforme le visage au point d'inquiéter plusieurs patients. Pour aider à chasser cet œdème, il faut adopter une position demi-assise et appliquer de la glace sur le visage, pendant les 3 premiers jours. La bouche doit être nettoyée fréquemment avec un rince-bouche.

On retire les fixations au bout de 5 ou 6 semaines ; c'est à ce moment que le visage prend sa nouvelle physionomie véritable. L'effet, assez immédiat, est des plus concluants.

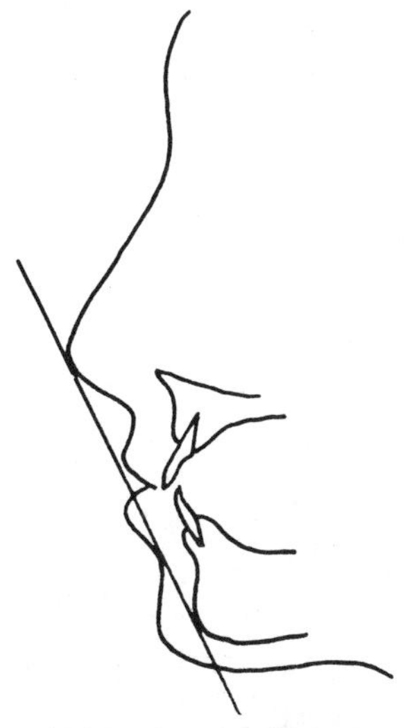

Figure 11 Position idéale des maxillaires.

Les progrès actuels

Cette technique toute nouvelle de déplacement de segments osseux des maxillaires constitue une nette amélioration de la chirurgie de la bouche et du sourire. L'alimentation, comme d'ailleurs la parole, sont énormément facilitées par l'utilisation récente de fixations orthodontiques. Grâce à ce procédé d'immobilisation, on n'est plus obligé de tenir la bouche complètement fermée pendant six semaines.

Les complications et dangers

Le saignement et l'infection sont des complications possibles, mais très rares. On les corrige par une irrigation et des antibiotiques.

La complication la plus inquiétante est fort heureusement rarissime. Elle résulte de la mauvaise jonction ou de la distorsion des segments osseux. En pareil cas, une seconde intervention avec greffe osseuse s'impose.

L'ŒIL

L'œil projette et retient le regard. Les paupières, quant à elles, reflètent les états d'âme. Elles sont rougies par les pleurs, gonflées par la fatigue... Elles trahissent bien des secrets.

Une belle paupière, ou plus précisément la paupière idéale, ressemble à celle d'un enfant ; le pli se situe à sept ou huit millimètres du rebord de l'œil. Sa souplesse et sa mobilité assurent sa vivacité.

La paupière supérieure couvre l'œil et protège la cornée. La paupière inférieure s'accole au globe oculaire et contient les larmes. Elle les retient pour éviter qu'elles ne coulent à l'extérieur de l'œil.

Les deux paupières définissent le site de l'œil que l'on appelle aussi la fente palpébrale.

Les problèmes

Le problème principal, et sans doute le plus incommodant, est la blépharochalasis, c'est-à-dire l'accumulation d'un surplus de peau affaissé sur l'œil. Ce phénomène affecte la

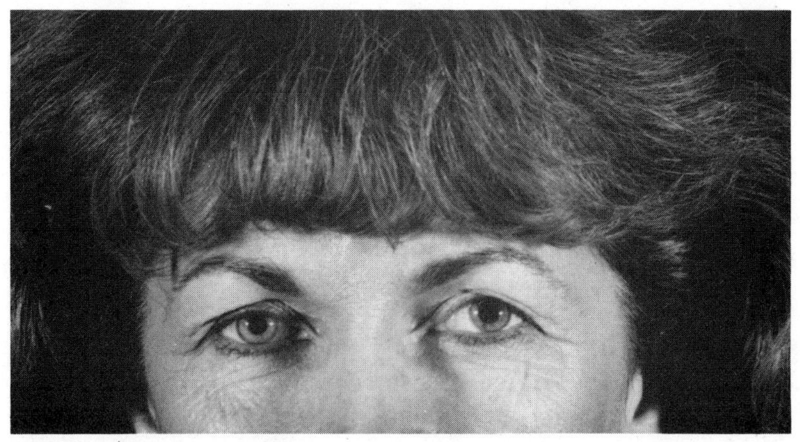

Figure 12 Blépharochalasis. Accumulation d'un surplus de peau affaissé sur l'œil.

vision et, dans les cas extrêmes, rend difficiles l'ouverture et la fermeture de l'œil.

Le problème opposé est la dépression au-dessus de l'œil, entre le sourcil et le globe oculaire. Le pli se creuse exagérément et donne ce qu'on appelle « l'œil creux ».

L'autre problème de la paupière supérieure est créé par une action insuffisante du muscle releveur, il s'agit d'un cas de ptose. La paupière ne s'ouvre qu'à moitié et découvre à peine la pupille.

La paupière inférieure

C'est au niveau de la paupière inférieure que le poids des années se manifeste le plus. Les ridules s'accentuent, puis se creusent pour former des « pattes d'oie ». La paupière exprime aussi la fatigue et trahit, en quelque sorte, les excès infligés au corps au cours des années. Les gonflements et l'accumulation d'amas graisseux donnent « l'œil poché ». L'affaissement de la joue, quand il survient, crée une dépression en forme de V. Le cerne se fait plus apparent et prononcé, c'est « l'œil cerné ».

La correction

La chirurgie des paupières, ou blépharoplastie, exige beaucoup de doigté ainsi qu'une juste évaluation des tissus à enlever. La correction se fait en deux étapes : retrait du surplus de peau et de graisse, puis resserrement des muscles. Le but recherché diffère selon le problème à résoudre. Dans les cas d'excès de peau et de graisse sur la paupière supérieure, on doit refaçonner un pli. Pour « l'œil creux », on s'attaque plutôt à la profondeur du pli, qu'il faut combler. Certaines rides peuvent également être atténuées, notamment celles des « pattes d'oie ».

Avant l'opération

Il faut analyser attentivement certaines caractéristiques de l'œil pour faire une juste évaluation des corrections à apporter. On s'assure d'abord du bon état des glandes lacrymales, et de l'acuité visuelle du patient. Le rebord de l'œil fait aussi l'objet d'un examen soigné. On vérifie s'il est ferme ou relâché, bien ou mal accolé au globe oculaire. En outre, le chirurgien se doit de faire comprendre à ses patients et patientes que l'asymétrie des yeux et des côtés du visage est normale et universellement répandue. Les deux yeux ne sont jamais de formes identiques, et cela reste vrai même après l'intervention.

Quelques jours avant l'intervention, on procède aux examens préopératoires de routine et à la photographie des yeux.

Pendant l'opération

L'intervention se fait sous anesthésie locale avec narcose. Sur la paupière supérieure, on trace d'abord un dessin du surplus de peau à enlever. Après avoir enlevé un morceau de peau de forme elliptique, on retire la graisse située sous le muscle. La fermeture de la plaie se fait à l'endroit même où se situera le nouveau pli de la paupière.

Pour la paupière inférieure, l'incision se fait sous les cils. On extirpe les « poches » graisseuses, puis on redrape le muscle et la peau. Les fils de suture sont placés sous la peau, bien retenus par des papiers adhésifs que l'on conserve après l'opération.

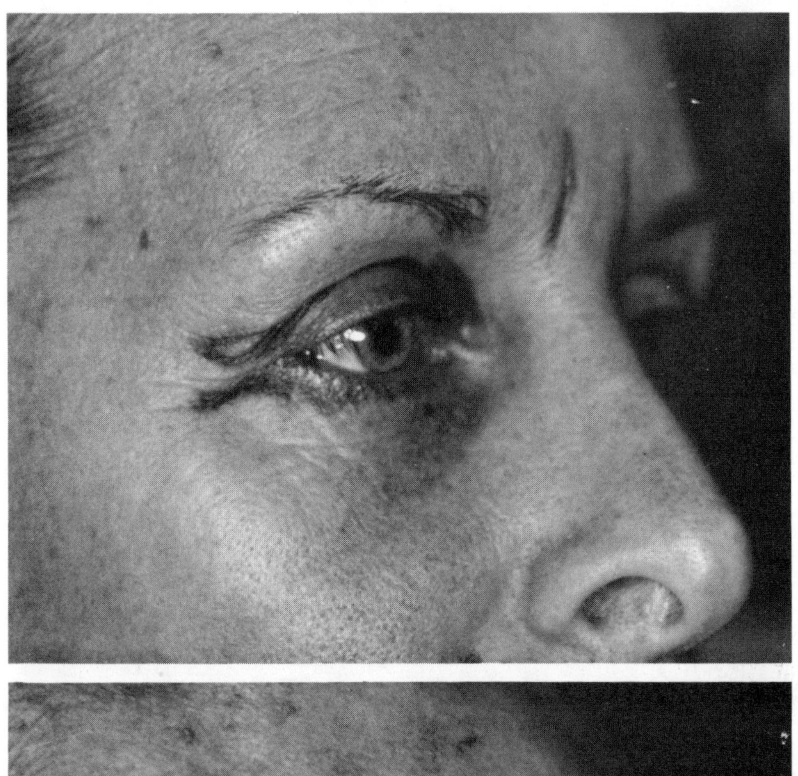

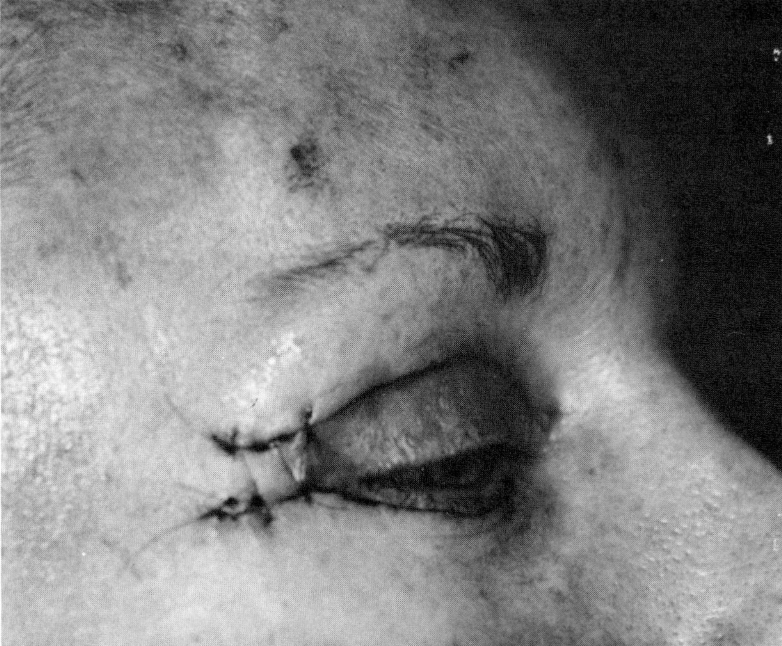

Figure 12a Dessin préopératoire du surplus de peau à enlever.
Tracé de l'incision et fermeture de la plaie.

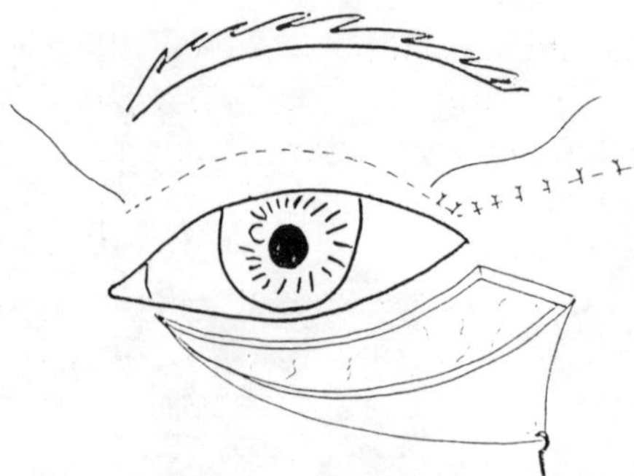

Figure 13 La peau soulevée, on enlève la graisse accumulée sous la paupière inférieure.

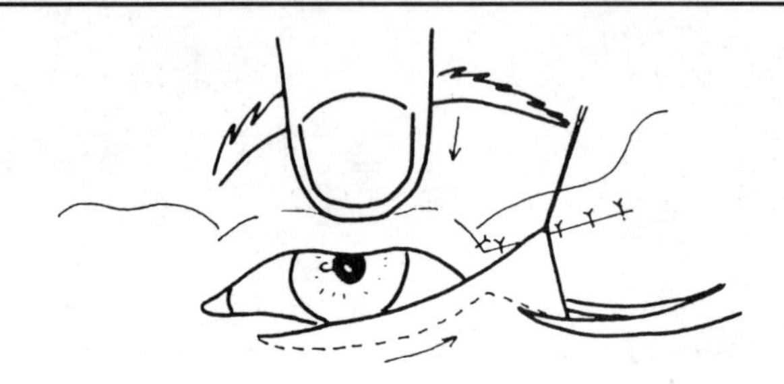

Figure 14 La pression exercée sur la paupière supérieure nous guide dans le retrait de la peau.

Après l'opération

Pendant 48 heures, des gonflements et des suintements obstruent la vue. Les yeux peuvent même être complètement fermés par l'œdème. L'application de glace après l'opération et pendant ces deux jours contribue grandement à réduire ces gonflements. Les patients quittent habituellement la clinique une heure après l'intervention. Il importe de prendre du repos, d'éviter le surmenage et de nettoyer fréquemment, avec de l'eau tiède, les sécrétions accumulées autour de l'œil. On prescrit des calmants en cas de douleurs qui sont habituellement brèves ou presque inexistantes. Chez certains patients, le pourtour de l'œil se couvre de bleus ; chez d'autres, on ne remarque qu'un gonflement provoqué par l'œdème.

La guérison

Au bout d'une semaine, on retire les points de suture. Un durcissement des tissus s'installe sur le pourtour de l'œil, qui lui-même présente des modifications. Il est rond, crispé, conserve peu de mobilité et laisse paraître, sous l'iris, la partie blanche normalement voilée par la paupière inférieure. Il faut être prévenu de ces désagréments temporaires dès la rencontre préopératoire et être prêt à les accepter. Plusieurs personnes opérées ont « l'œil triste » pendant à peu près deux semaines. Ce regard nostalgique disparaît à mesure que se poursuit la guérison.

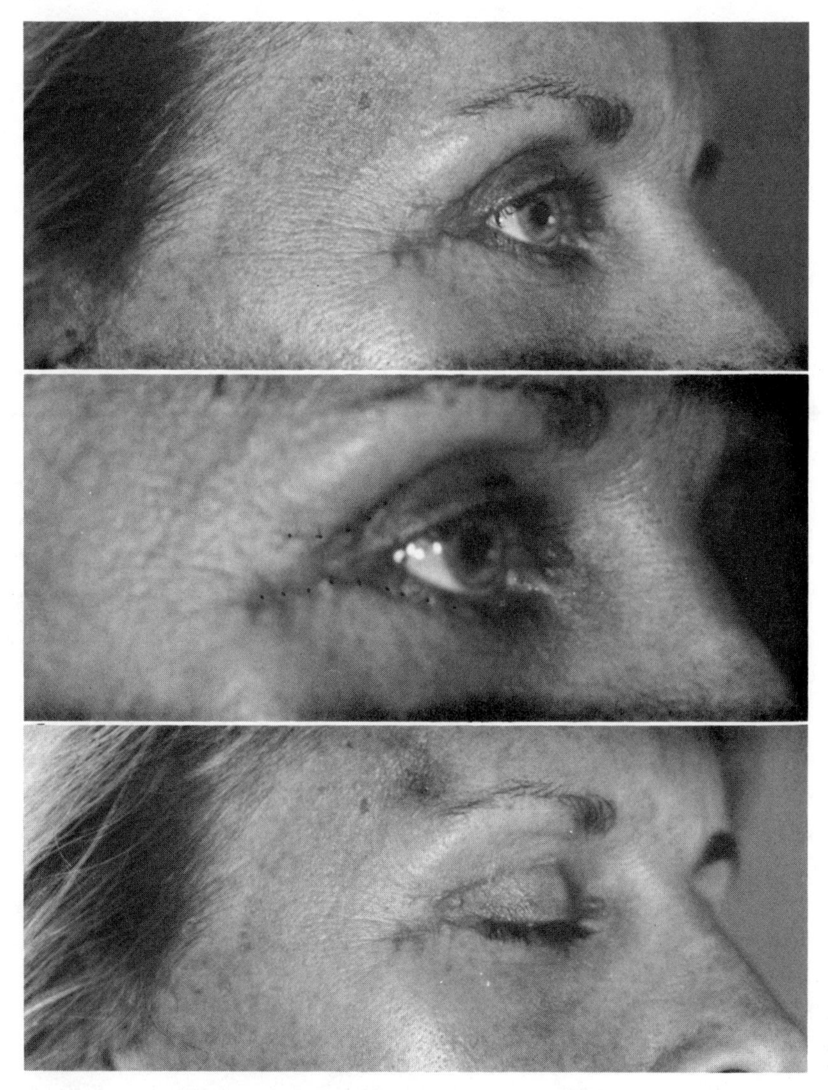

Figure 15 Cicatrices après 15 jours.

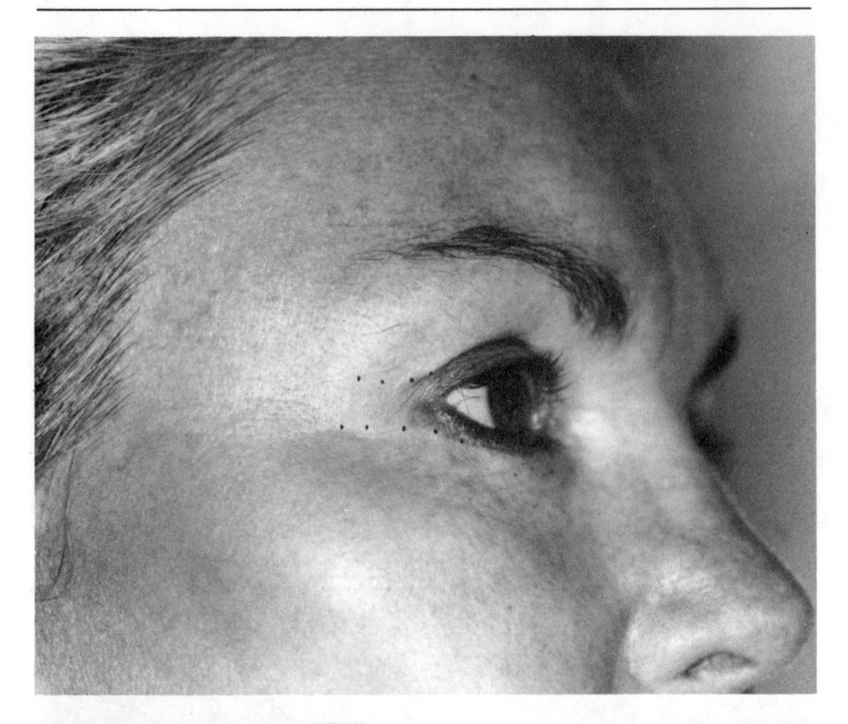

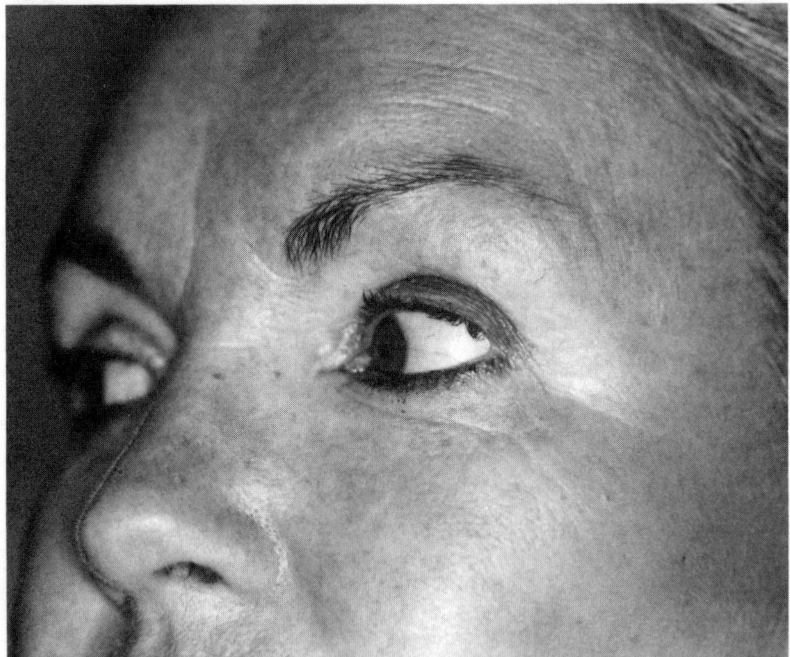

Figure 16 Cicatrices après un an.

Les complications et dangers

Le saignement important pendant l'opération constitue une complication que l'on surmonte par une coagulation des vaisseaux. L'ectropion, ou éversion de la paupière inférieure, peut aussi se manifester, si l'on a enlevé trop de peau. Ce problème, rarissime il faut le dire, disparaît en même temps que l'œdème. Si toutefois l'éversion se maintient, on peut la corriger. On pratique alors une petite greffe de peau pour redonner à la paupière l'ampleur nécessaire.

Les progrès actuels

Les techniques récentes permettent d'obtenir des résultats de plus en plus concluants dans la correction des « pattes d'oie », de l'affaissement de la joue et des « poches » sous les yeux. De plus, une greffe de tissu retiré pendant l'opération permet de combler les plis verticaux, plis de la glabelle, qui s'installent sur le front, entre les sourcils.

Il faut bien comprendre que la blépharoplastie agit au niveau des paupières et qu'elle ne remplace pas l'élévation des sourcils ni le lift frontal, qui sont là pour parfaire la traction exercée sur les tissus qui entourent l'œil et les paupières.

LE LIFTING FRONTAL

Le lifting frontal est normalement compris dans le lifting complet mais il peut se pratiquer séparément. Cette intervention a comme rôle premier de relever les sourcils affaissés et de leur redonner leur position anatomique, soit au-dessus de l'arcade sourcillière. Le lifting frontal, comme son nom l'indique, atténue également les plis du front et la dépression de la région temporale.

Les problèmes

Sous la peau, le muscle frontal élève le sourcil et creuse des plis transverses qui, avec les années, s'installent en permanence. Entre les sourcils, les muscles se froncent puis laissent deux sillons profonds qui donnent au visage une expression sévère : ce sont les plis de la glabelle. Ces contractions musculaires finissent par provoquer un vieillissement prématuré de la région frontale.

La correction

Compte tenu de la hauteur du front et de la ligne d'implantation des cheveux, l'incision se pratique soit dans le cuir chevelu, soit à l'avant, à la lisière des cheveux.

Tout en corrigeant l'affaissement du sourcil, l'intervention améliore le pourtour des paupières et éclaircit le regard. Entre les sourcils, l'ablation des muscles de la glabelle donne, il faut bien le dire, des résultats plus ou moins satisfaisants. Aujourd'hui, on tente plutôt de combler ces plis qui donnent un air sévère par une greffe de peau ou de cartilage morcelé. On pratique aussi, depuis peu, l'injection de tissu graisseux.

Avant l'opération

Il faut bien nettoyer la peau, se soumettre aux examens préopératoires de routine et prendre des photographies.

Pendant l'opération

L'intervention se fait sous anesthésie locale avec narcose. Selon le cas, on décolle la peau seule ou le muscle, depuis la ligne d'implantation des cheveux jusqu'aux sourcils. Le décollement du muscle s'impose lorsque les plis de la glabelle (entre les sourcils) sont trop prononcés.

Pour un bon effet de traction, on tend la peau vers le haut pour en retirer ensuite le surplus. On referme les plaies avec des agrafes ou des fils de suture résorbants.

Après l'opération

L'intervention, somme toute assez simple, n'entraîne aucune fatigue générale, mais l'opéré ressent quelques désagréments ou de légers malaises dus à la traction exercée sur la peau et les muscles. Il faut garder le pansement environ 24 heures. Le gonflement qui s'étend jusqu'aux paupières et donne une expression d'étonnement s'atténue dans les jours qui suivent. L'application de glace pendant les premières 48 heures et la position demi-assise aident à enrayer l'œdème.

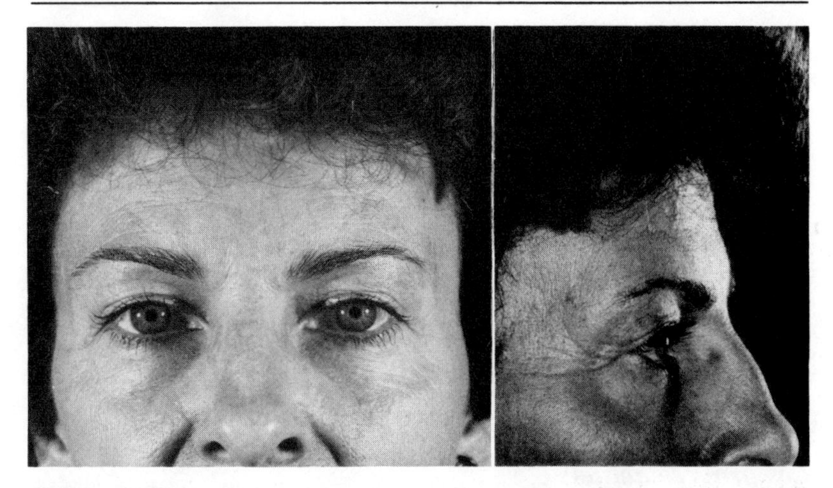

Figure 17 Photographie préopératoire avant lifting frontal.

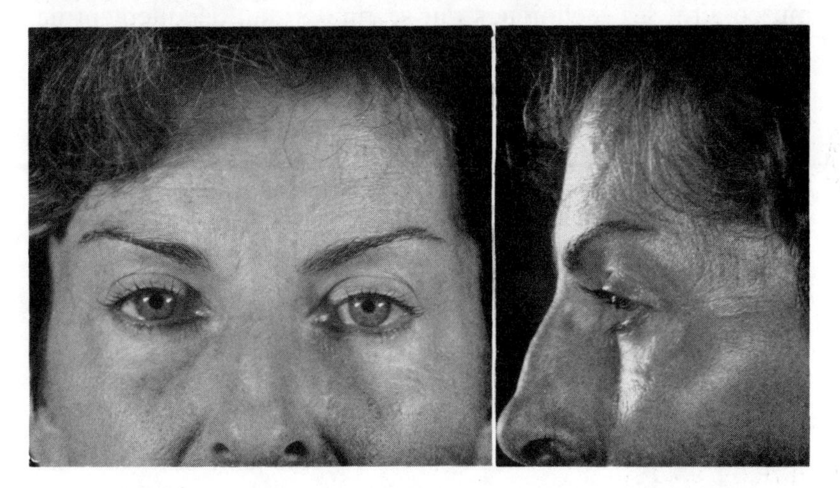

Figure 18 Résultat après lifting frontal et correction des paupières.

La guérison

Au bout d'une semaine, la personne opérée peut déjà reprendre ses activités normales. Le processus de guérison, quant à lui, se poursuit sans conséquence trop visible. Les 20% d'enflure qui restent disparaissent peu à peu. Il faut compter un à deux mois pour vérifier les résultats définitifs.

Les complications et dangers

Bien que cela soit très rare, des hématomes peuvent se produirent, ou encore une ouverture de la plaie qui nécessite, dans certains cas, une évacuation et une nouvelle suture. Une paralysie musculaire passagère et une perte de sensibilité sont au nombre des complications possibles, tout aussi rares. Ces problèmes, lorsqu'ils se présentent, se corrigent avec le temps. La récupération de la sensibilité s'accompagne quelquefois d'effets ressemblant à de petits chocs électriques, déclenchés lors de mouvements prononcés du visage. Ils sont sans danger et on ne doit pas s'en inquiéter.

Les progrès actuels

Comparées aux techniques de décollement sous-musculaire, les techniques qui se limitent au décollement de la peau représentent un progrès notable en diminuant les saignements. Pour combler les plis de la glabelle, les injections de substances étrangères donnent des résultats plus ou moins satisfaisants. On tend à les remplacer par des injections de tissu graisseux ou de cartilage morcelé. Dans un avenir rapproché, on utilisera de façon courante le propre derme du patient : un prélèvement de la peau placé en culture fournira, après une vingtaine de jours, des cellules injectables.

LE LIFTING FACIAL OU FACE LIFT

« Réparer des ans l'irréparable outrage ». Voilà un vieil adage qu'il faut maintenant repenser, puisque l'outrage n'est plus irréparable. Autant que possible, cependant, il vaut mieux prévenir le vieillissement, qui se manifeste de façon plus ou moins précoce selon les individus.

Le visage jeune — ou resté jeune — est celui qui a gardé un ovale bien défini, sans surplus de graisse et sans affaissement de la joue. Les pommettes toujours saillantes sont bien en place.

Le but du lifting facial, aussi appelé rhitidectomie, est de restituer au visage son apparence jeune. On ne peut toutefois pas donner la beauté à qui ne la possède pas ! S'il est vrai que plusieurs corrections simultanées, comme celles du nez, des joues et du menton, concourent à rajeunir la personne et à améliorer l'ensemble de son visage, il demeure que le lifting facial ne peut corriger une laideur véritable. Il faut, dans ce cas, s'en remettre à un autre type de chirurgie, la chirurgie de reconstruction qui s'attaque, de son côté, aux structures profondes.

Le lifting facial agit par décollement et déplacement des tissus. Cette intervention transforme momentanément l'image, ce qui entraîne pour le patient une perte d'identité pendant environ 15 jours. Il est donc nécessaire de bien se préparer psychologiquement avant l'opération et d'avertir son entourage immédiat de cet état de choses. Il faut retenir que cette perte d'identité n'est pas causée par une chirurgie excessive ; elle résulte de l'enflure postopératoire, réaction normale de l'organisme.

Comme pour toute autre intervention en chirurgie esthétique, la satisfaction des patients et des patientes découle directement de leurs attentes. À la limite, on pourrait même dire qu'un visage empesé et figé par une traction de la peau trop accentuée peut satisfaire certains opérés, dans la mesure où cela correspond à leur souhait.

Avant l'installation des rides

Chez les personnes jeunes n'ayant pas de rides, ou très peu, on soulève la peau pour en enlever le surplus, puis on resserre les muscles. Il s'agit d'une intervention mineure, bien tolérée et qui guérit facilement. Les personnes qui, avant même l'apparition de rides prononcées, ont recours au lifting facial bénéficient des bienfaits de la chirurgie pour des années. Pour le chirurgien, cependant, il y a une disproportion entre tout le travail de chirurgie exigé et les résultats immédiats, plus discrets que spectaculaires. L'entourage et les amis remarquent un changement d'expression, une forme resplendissante ou encore la disparition de l'air fatigué, mais ils n'identifient pas au premier regard l'opération pratiquée.

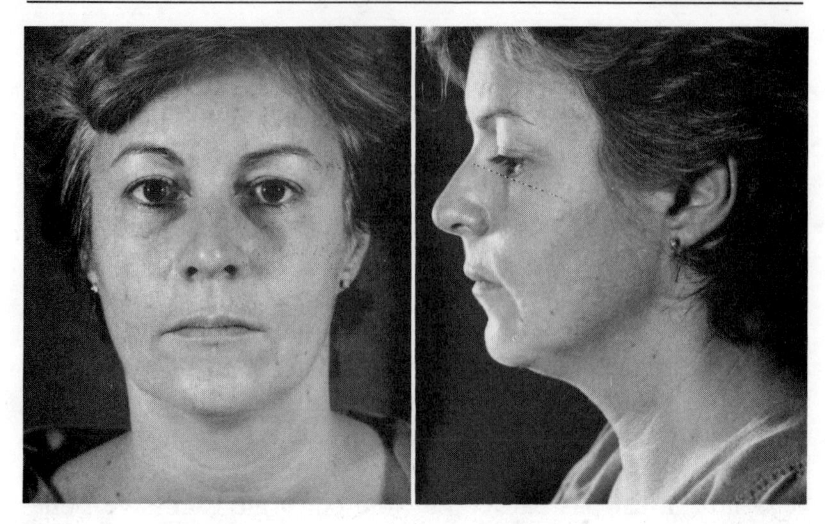

Avant

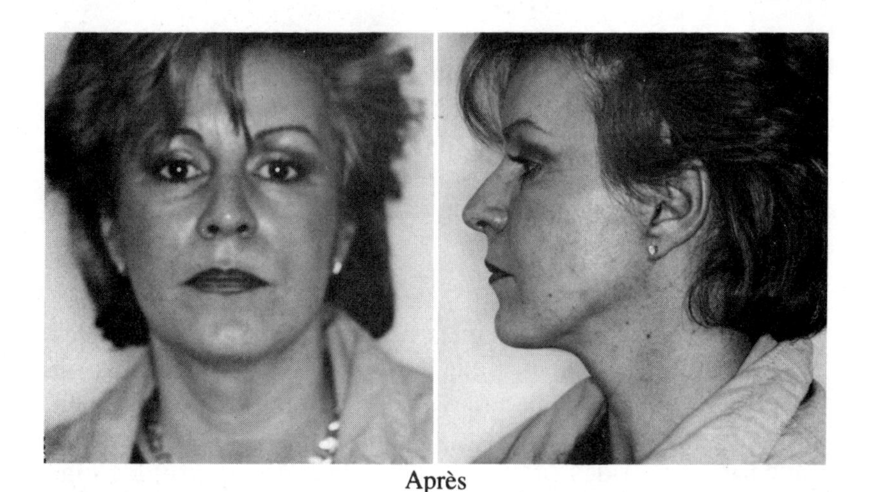

Après

Figure 19 Lifting facial avant l'installation des rides.

Après l'installation des rides

Le lifting facial pratiqué après l'installation des rides, particulièrement chez les personnes de 50 ans et plus, donne évidemment des résultats plus frappants. Les changements sont perceptibles et identifiables au premier coup d'œil. En revanche, l'intervention se révèle quelquefois plus difficile à accepter psychologiquement, en raison de la grande modification de l'apparence, de l'aspect quelque peu figé du visage pendant les six premiers mois et de la persistance de rides profondes qu'on ne peut entièrement effacer.

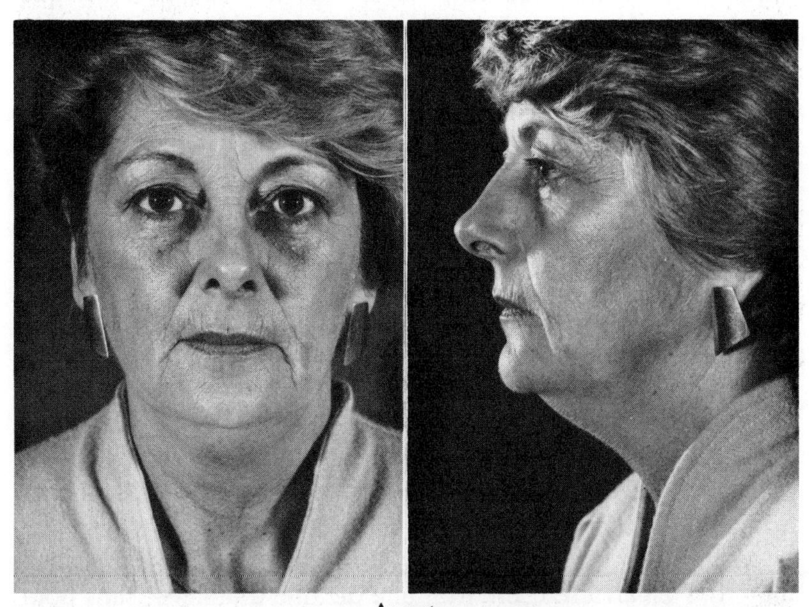

Avant

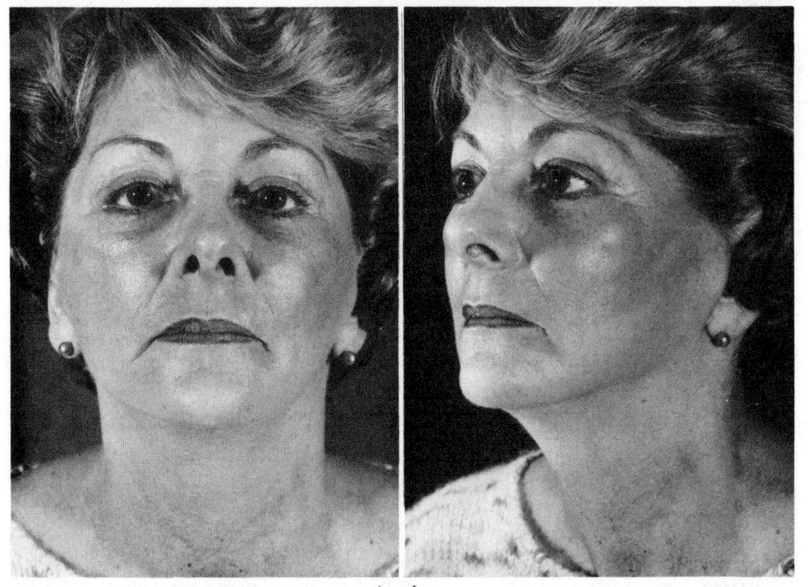

Après

Figure 19a Lifting facial complet après l'installation des rides.

Les problèmes

Les problèmes concernent bien sûr l'âge de la personne, mais également la qualité et la texture de sa peau ainsi que celles de sa structure osseuse. Les blondes à la peau fine rident plus facilement ; le lifting doit souvent se compléter d'une dermabrasion chimique ou physique (voir p. 69). Il est aussi plus délicat de tendre la peau chez une personne dépourvue de bonne structure osseuse ; les résultats sont moins satisfaisants. Enfin, pour éviter les déceptions, le chirurgien doit mesurer le degré de tolérance de son patient ou de sa patiente face aux cicatrices visibles sur le pourtour de l'oreille.

D'autres problèmes relèvent de considérations beaucoup plus psychologiques. En effet, certaines personnes prennent comme référence une personnalité de la télévision et exigent de lui ressembler. Aucun chirurgien ne peut accéder à de telles demandes : tout individu possède sa propre morphologie. Par ailleurs, d'autres personnes avouent ne souhaiter rien de moins qu'une interruption définitive du vieillissement. Il va sans dire qu'aucun lifting facial n'arrête la marche du temps ; il permet un retour en arrière d'environ une dizaine d'années, sans pour autant arrêter le vieillissement.

La correction

Elle comporte deux parties : étage supérieur et étage inférieur. L'étage supérieur comprend la correction du front, des paupières et de la partie haute de la joue. L'étage inférieur inclut le rictus, les plis de chaque côté de la bouche, appelés plis nasogéniens, ainsi que la partie inférieure de la joue et du cou.

Avant l'opération

Insistons sur le fait qu'un bon état de santé est essentiel. L'alcool et la cigarette sont interdits pendant les 3 semaines précédant l'opération et les 4 semaines postopératoires. Idéalement, la visite décisive chez le chirurgien se fait 3 semaines avant l'intervention. Les cheveux un peu plus longs peuvent couvrir les cicatrices ; on peut les reteindre si besoin est. On peut réduire les ecchymoses en prenant de la vitamine K. Les photographies et les examens préopératoires habituels se font dans les derniers jours qui précèdent l'intervention. Le jour même de l'opération, on se présente à jeun, les cheveux lavés et le visage bien nettoyé.

Pendant l'opération

L'intervention est pratiquée sous anesthésie locale et narcose. On peut choisir une anesthésie générale pour une opération de courte durée. On la recommande habituellement lorsque le patient ou la patiente fait usage de certains médicaments ou que son anxiété est incontrôlable. L'infiltration, dont le but est l'anesthésie, contribue aussi à réduire le saignement et facilite le décollement de la peau.

Les étapes de l'opération

Dans le détail, les étapes de l'intervention varient d'un chirurgien à l'autre ; mais, dans l'ensemble, elles se déroulent de la façon suivante :

1re étape : incision des paupières. En début d'intervention, elles ne sont pas encore gonflées, ce qui rend le travail du chirurgien plus facile ;

2e étape : intervention sur le front, si nécessaire, puis élévation des sourcils ;

3e étape : aspiration des graisses (voir lipoaspiration, p. 126) sous le menton, en même temps que décollement au niveau du cou ;

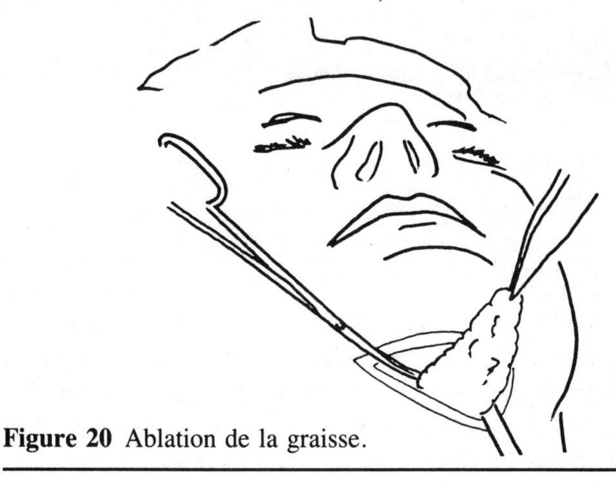

Figure 20 Ablation de la graisse.

4e étape : décollement de la peau du visage. Il est plus ou moins étendu, selon le cas. L'incision se fait au-dessus de l'oreille, dans le cuir chevelu. Elle passe devant ou dans l'oreille, puis autour du lobe, pour se prolonger derrière l'oreille et dans le cuir chevelu ;

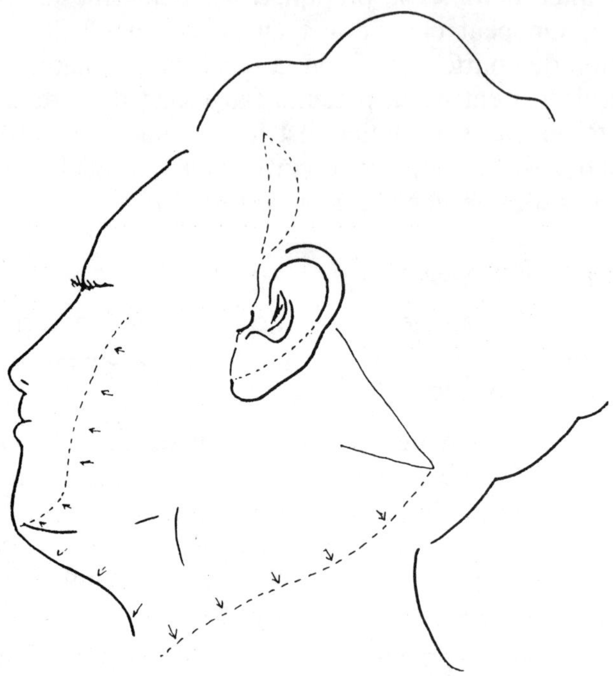

Figure 21 Le décollement.

5e étape : redrapage des muscles après coagulation des vaisseaux avec un électrocauther. Cette étape consiste à soulever les muscles, puis à les tirer vers le haut pour les resserrer. On diminue ainsi le rictus de la commissure des lèvres et le pli nasogénien qui forme les saillies de chaque côté de la bouche ;

6e étape : dans les cas où le relâchement des muscles entraîne une perte de l'ovale, et où le cou et le menton se confondent, on corrige la difformité en enlevant une partie du muscle, puis on complète par une traction vers l'arrière du cou ;

Figure 22 Retrait d'une partie du muscle du cou.

7e étape : traction de la peau vers le haut et vers l'arrière. Après avoir ancré la peau au-dessus de l'oreille puis derrière, on retire le surplus et on ferme les plaies. Celles-ci sont suturées à l'aide d'agrafes métalliques logées dans le cuir chevelu, ce qui assure un meilleur résultat. Près de l'oreille, la suture est effectuée avec du fil de nylon. La fermeture des plaies terminée, on applique un pansement compressif autour du visage, des oreilles et du cou. Si des rides ont flétri le pourtour de la bouche, une dermabrasion peut être nécessaire. Les détails de cette correction apparaissent dans les pages qui suivent.

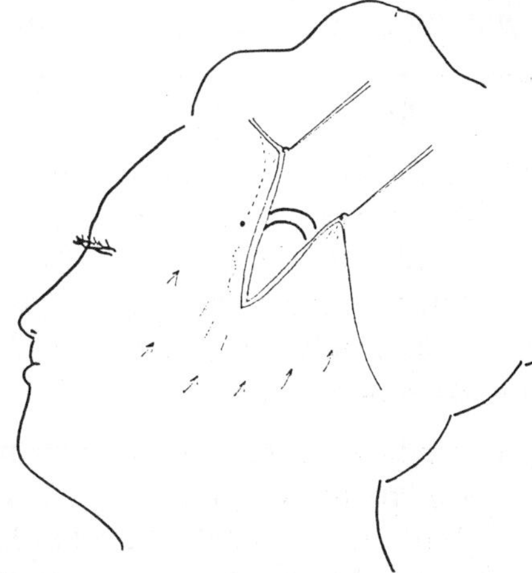

Figure 23 Traction de la peau vers l'arrière.

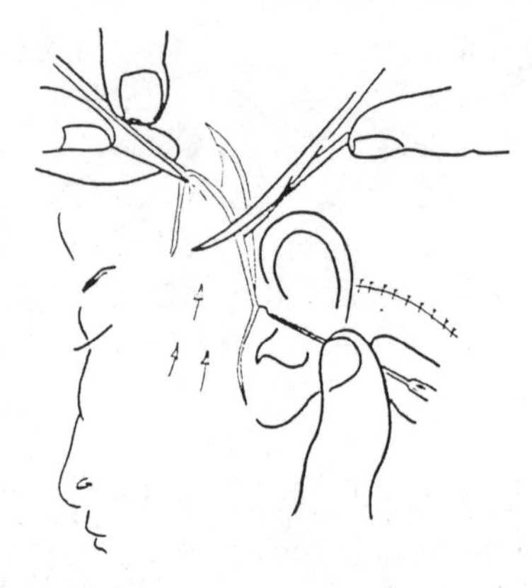

Figure 24 Surplus retiré et fermeture de la plaie.

Après l'opération

Après l'opération, le patient est envahi d'une sensation de fatigue. Celle-ci s'explique par le stress opératoire et l'effet de l'anesthésie. Le visage, disons-le en toute sincérité, est presque méconnaissable. Pour cette raison, une anxiété passagère s'installe chez les patients. Les yeux se gonflent, les larmes sont légèrement rosées, la bouche et les lèvres peu mobiles.

On quitte la clinique 2 à 3 heures après l'intervention. Certaines personnes préfèrent se retrouver dans leur famille, aidées par leurs proches. D'autres choisissent la maison de convalescence, sécurisées par l'expérience du personnel en place. Quel que soit l'endroit choisi, on ne doit fournir aucun effort, demeurer au repos et éviter de s'inquiéter au sujet du gonflement important du visage.

Pour éviter les nausées possibles après l'intervention, on recommande, lors du premier repas, une diète liquide additionnée de quelques biscottes. Des calmants sont prescrits au cas où la douleur deviendrait tenace. Mais on gagne à en absorber le moins possible, afin de réduire les effets secondaires, en particulier la nausée.

La première nuit semble longue, non pas à cause de la douleur complètement éliminée par les calmants, mais bien parce qu'elle est entrecoupée d'éveils. L'inconfort de la position demi-assise et de l'application continuelle de glace interrompt le sommeil.

La journée qui suit est, dit-on, la plus désagréable à supporter. Les yeux collés entre les cils doivent être nettoyés avec un peu d'eau tiède et un coton-tige, après quoi le repos est de rigueur. Une fois le pansement retiré au bout de 24 heures, on peut se permettre un nettoyage plus complet. Dès le deuxième jour, la largeur disproportionnée du visage a de quoi étonner, même si elle fait partie, de façon normale, du processus de guérison.

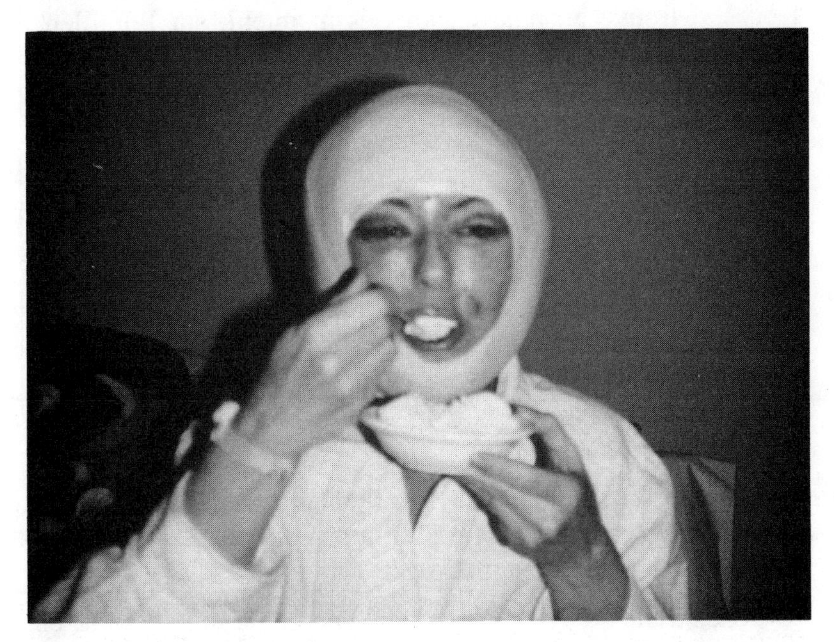

Figure 24a Lifting facial.
24 heures plus tard.

CONSEILS POSTOPÉRATOIRES

— Proscrire l'aspirine.

— Appliquer des glaçons sur le visage, selon l'une des deux méthodes suivantes :

a) enrouler dans une serviette des sacs de glaçons concassés ou encore des sacs de gelée que l'on trouve en pharmacie. Les maintenir sur l'oreiller par des épingles.

b) imbiber d'eau des « chiffons J » ou des tampons à démaquiller ; les placer au congélateur. Les utiliser dès qu'ils sont suffisamment givrés.

— 48 heures après l'opération, prendre quotidiennement des douches répétées en jet léger.

— Éviter de rester immobile trop longtemps. Il importe de rester au repos pendant 48 heures. Par la suite, consentir à quelques activités, en évitant toute fatigue.

La guérison

Après une semaine, le gonflement du visage diminue ; les ecchymoses bleutées des premiers jours prennent une coloration brunâtre, puis jaunâtre.

Les traits du visage manquent encore de souplesse. L'entourage, toutefois, reconnaît de plus en plus les traits caractéristiques de la personne, malgré les asymétries causées par la réduction inégale des gonflements. Pour réduire ces asymétries, on peut porter une mentonnière ou une bande élastique. Il convient de laver les cheveux et le visage tous les jours.

Le septième jour, on retire les points de suture des paupières, ainsi qu'en certains endroits de la ligne chirurgicale. Au bout de 10 jours, un maquillage adéquat peut déjà recouvrir les cicatrices et les ecchymoses. Et voilà que peut s'effectuer la première sortie ! Une bonne crème hydratante aide à reconstituer le tonus de la peau encore insensible par endroits. De légers massages effectués par une simple pression des doigts aident à chasser l'œdème et à atténuer les bosselures formées par l'accumulation de liquide sanguin ou graisseux.

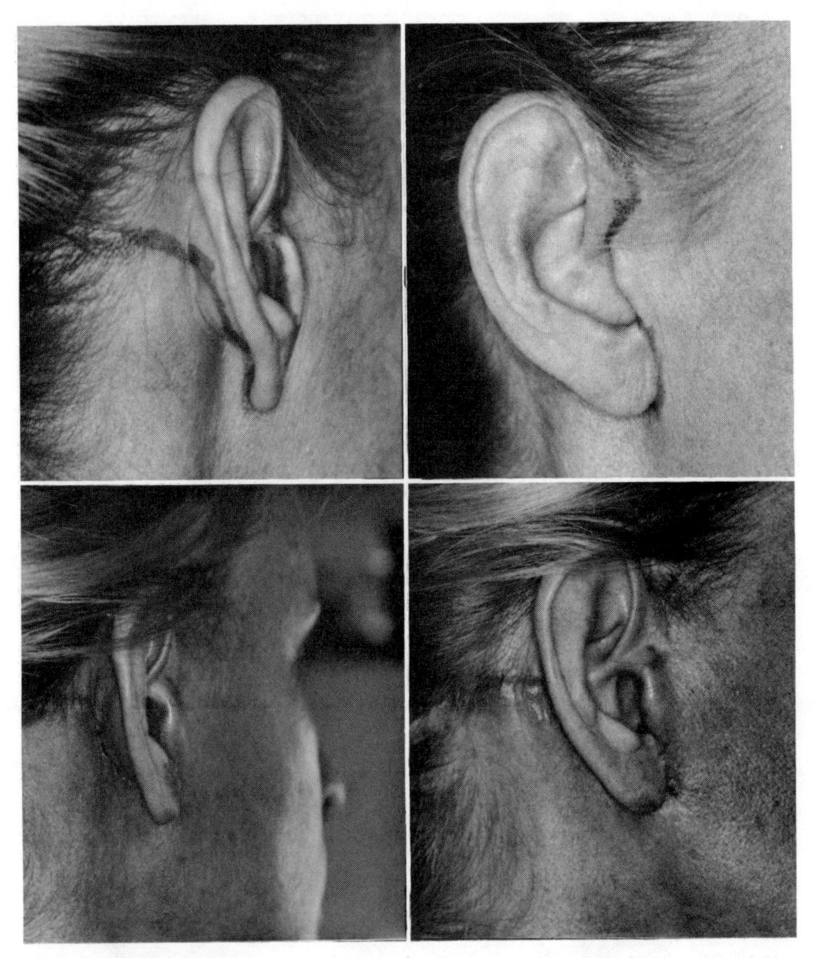

Figure 25 Cicatrices après 15 jours.

À la fin de la deuxième semaine, les opérés se sentent aptes à reprendre leurs activités habituelles. Un effort physique ou une augmentation de pression, cependant, peuvent encore entraîner des hématomes. La cigarette et l'alcool sont interdits pendant encore 2 semaines.

Le retour au travail s'effectue au cours de la troisième semaine, bien que le processus de guérison se poursuive. Son action s'échelonnera sur plusieurs mois, en douceur, et de façon subtile. L'effet le plus frappant et le plus remarqué est, sans contredit, ce moment précis du retour au travail. L'attitude des collègues de travail est, en ce sens, révélatrice et rassurante.

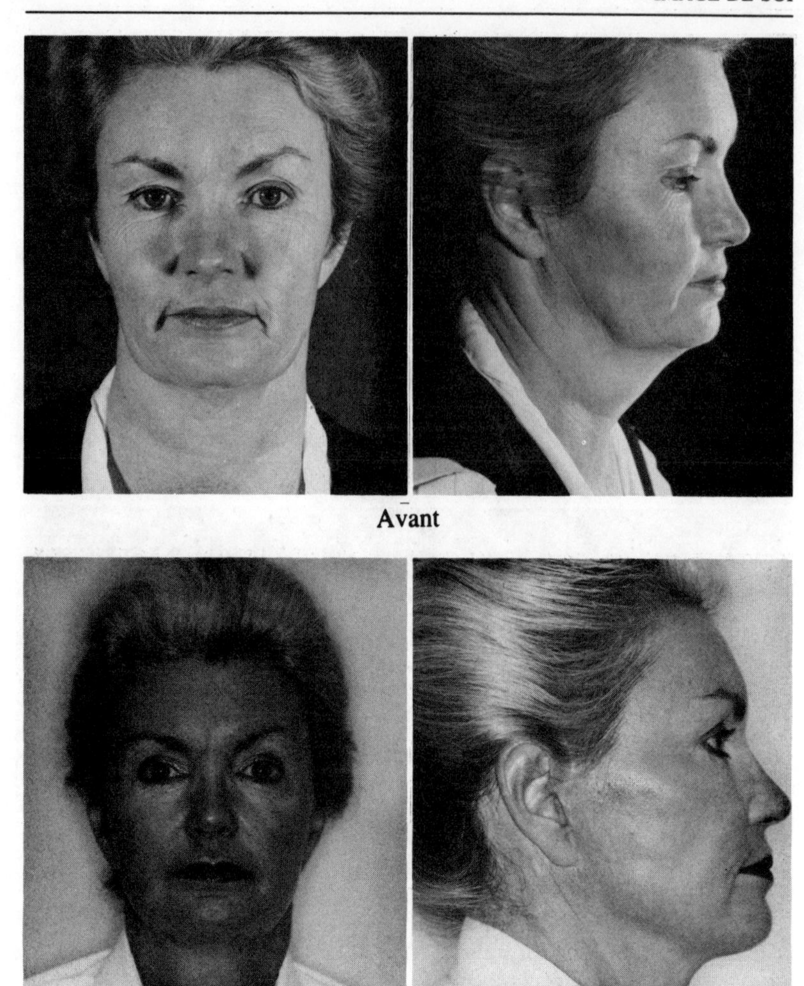

Après

Figure 26 Élévation des sourcils, chirurgie des paupières, lipoaspiration du cou et étage inférieur du lifting.

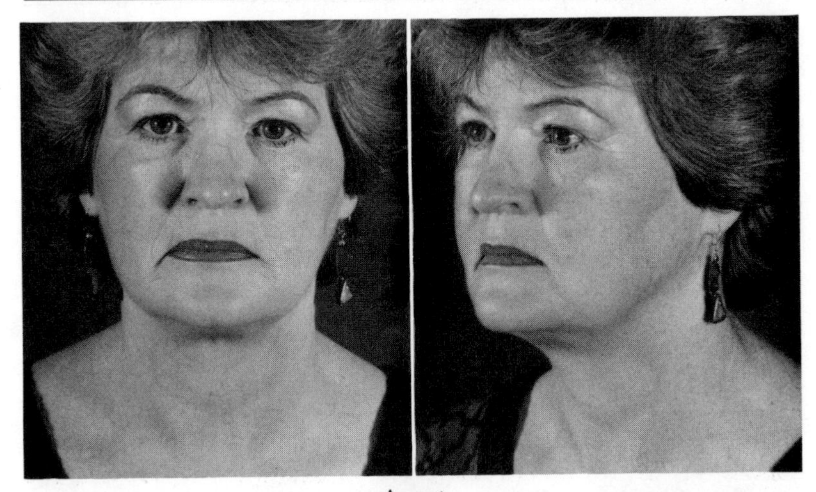

Avant

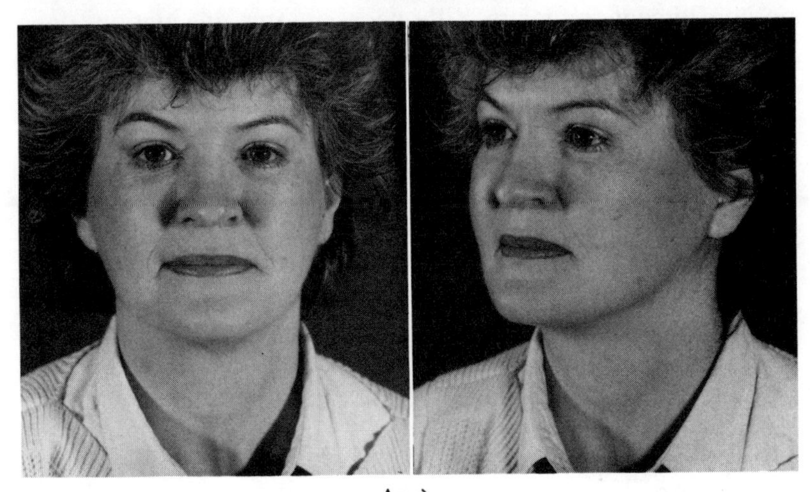

Après

Figure 27 Lifting facial complet.

Les complications et dangers

Dans les heures suivant l'opération, il peut se produire des hématomes, d'où la nécessité d'une surveillance postopératoire en clinique qui permet d'évaluer, sur-le-champ, le degré d'accumulation du sang. Les hématomes formés plus tardivement s'expliquent, eux, par un effort physique ou une augmentation subite de pression. L'aspirine, on l'a déjà souligné, est à proscrire pour éviter ces complications.

Même si elle se fait de plus en plus rare depuis qu'on utilise des agrafes, l'ouverture de la plaie est une des complications possibles. Elle est inquiétante, mais sans danger. La suture, en pareil cas, doit être refaite.

L'infection peut également s'installer. On la reconnaît à un gonflement rougeâtre. Elle nécessite une évacuation, dans les plus brefs délais.

Dans une infime proportion des cas, et à la suite d'une chirurgie s'attaquant aux muscles du visage, une paralysie partielle passagère peut aussi survenir. Elle disparaît en quelques mois.

Enfin, la nécrose cutanée, complication la plus désastreuse et fort heureusement la plus rare, se présente plutôt chez les fumeurs. Elle retarde la guérison de 3 à 4 semaines et inflige, par la mort des tissus qui la caractérise, des cicatrices disgracieuses nécessitant une correction ultérieure.

Les progrès actuels

Le lifting facial se pratique de plus en plus chez des personnes jeunes (38 à 40 ans) qui souhaitent éviter l'installation de rides profondes. Il est faux de croire que la peau vieillira plus rapidement et que la chirurgie devra être répétée.

La lipoaspiration qui permet d'aspirer la graisse dans la portion inférieure du visage, et particulièrement sous le menton, se révèle tout aussi efficace et plus facile à pratiquer que le retrait au ciseau des techniques antérieures. Elle contribue à redéfinir l'ovale du visage.

Enfin on a cru, pendant un certain temps, qu'en décollant les muscles du visage on pouvait améliorer le lifting. Aujourd'hui, on sait qu'un simple resserrement des muscles suffit ;

cette méthode donne d'excellents résultats et élimine les risques de paralysie partielle passagère occasionnée par le décollement du muscle.

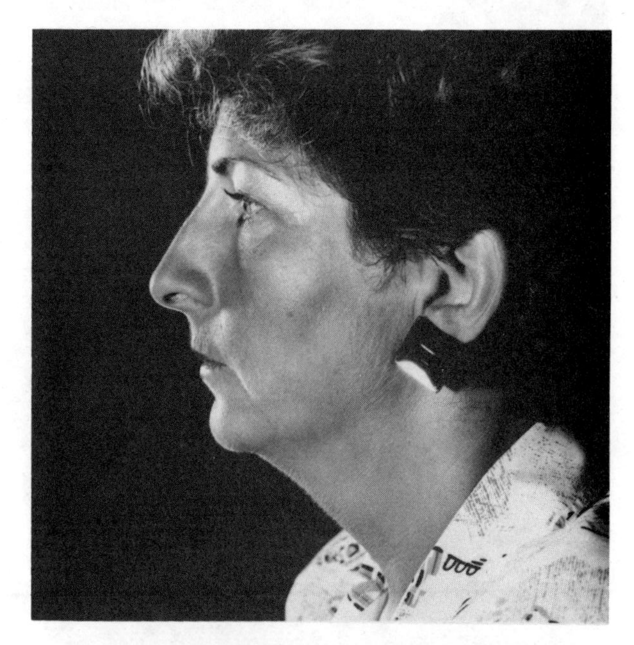

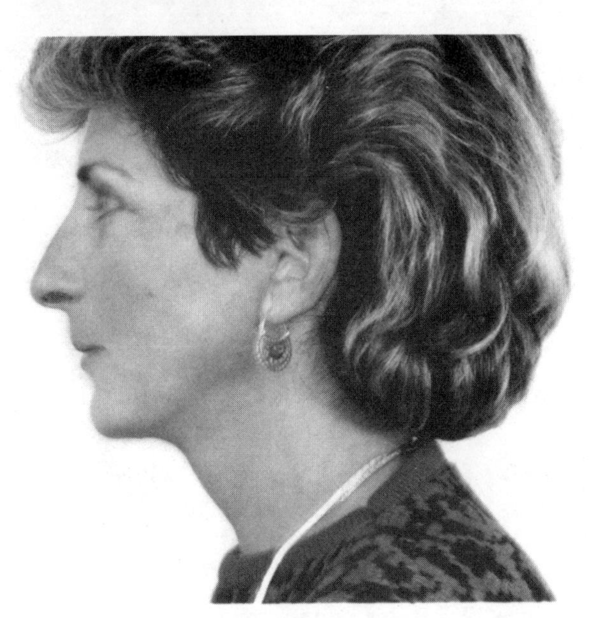

Figure 28 Résultat d'une lipoaspiration du cou.

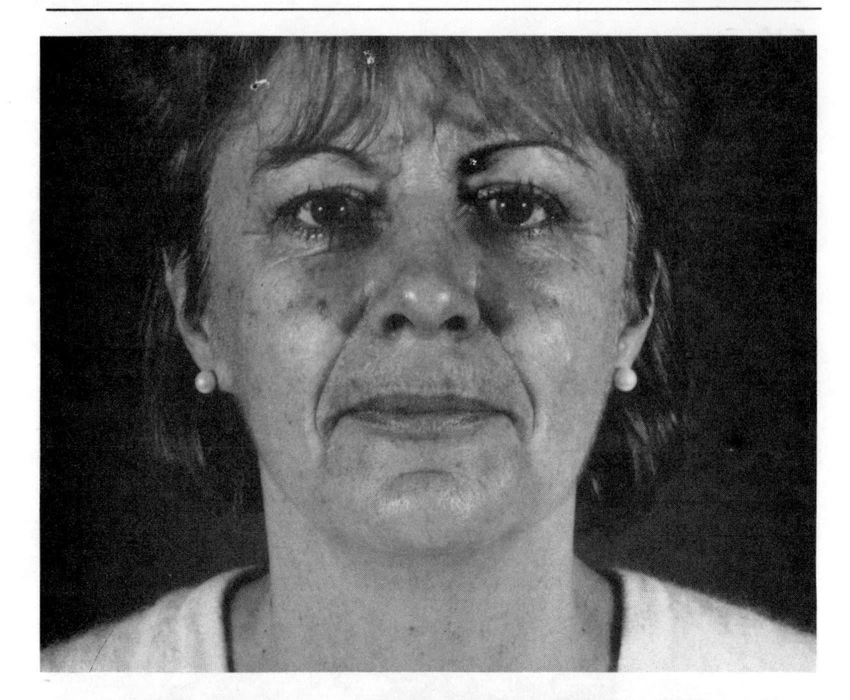

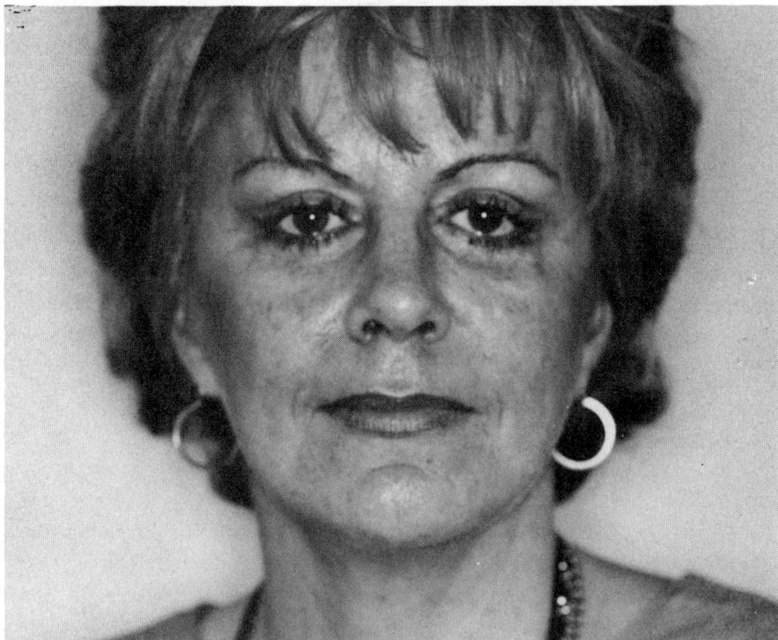

Figure 29 Résultat du resserrement des muscles pour corriger les plis nasogéniens (plis de la joue).

LA DERMABRASION

La dermabrasion est utilisée depuis de nombreuses années pour améliorer la texture de la peau. Elle peut se faire chimiquement, c'est le peeling ; elle se fait aussi mécaniquement. On y a recours pour éliminer les flétrissures de la peau et les lésions laissées par l'acné, ainsi que pour atténuer les taches pigmentaires.

Les problèmes

On se limitera ici, à titre d'exemple, à un problème presque typiquement féminin, la correction du pourtour de la bouche. Il s'agit là d'éliminer la présence de rides verticales au-dessus de la lèvre supérieure. C'est le type de dermabrasion le plus fréquemment pratiqué. Il demande un certain doigté et une connaissance adéquate de l'épaisseur et de la qualité de la peau qu'il faut abraser jusqu'au derme superficiel.

La correction

La dermabrasion chimique, le peeling, peut se faire sur tout le visage ; on l'utilise surtout pour les plis superficiels. Pour les sillons plus profonds, on fait usage du procédé mécanique. Dans la plupart des cas, cette intervention complète le lifting facial. Chez les personnes à peau ferme, elle peut se pratiquer seule.

Avant l'opération

La simplicité de l'intervention n'exige aucune préparation particulière, sinon un bon nettoyage de peau et un test de sensibilité pour détecter une éventuelle hyperpigmentation.

Pendant l'opération

S'il s'agit d'une dermabrasion chimique, donc d'un peeling, le travail peut se faire en cabinet, souvent sans anesthésie. Une solution de phénol ou d'azote liquide déposée sur la peau la détache par couches successives.

Pour la dermabrasion mécanique, on administre une anesthésie locale avec narcose. L'abrasion, qui est somme toute un ponçage, se fait à l'aide d'une petite meule qui, par frottement et usure, décape le pourtour de la lèvre.

Dans les deux cas, on crée une brûlure au 2e degré que l'on recouvre sur-le-champ d'un onguent antibiotique pour éviter toute infection.

Après l'opération

Les effets immédiats de la dermabrasion relèvent plus d'une sensation désagréable que d'une douleur persistante. La région abrasée prend un aspect rougeâtre et se couvre de suintements. L'œdème peut être réduit par l'application de glaçons. Il faut, autant que possible, combattre la formation de croûte par des douches quotidiennes, des vaporisations d'eau d'Évian et des applications de pansements humides. Un onguent antibiotique aide à contrer l'infection.

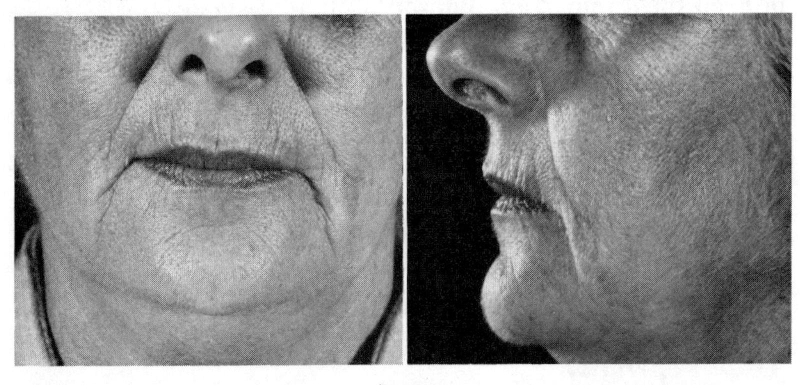

Avant

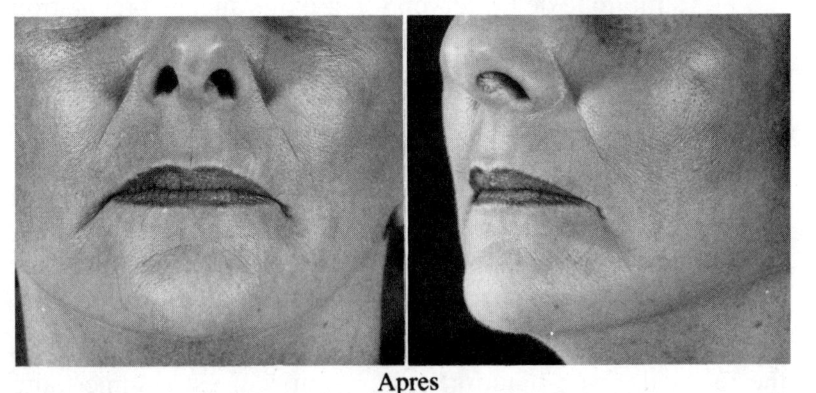

Apres

Figure 30 Dermabrasion du pourtour de la bouche.

La guérison

Les désagréments consécutifs à l'abrasion varient selon la quantité de peau détachée ; ils durent de 7 à 10 jours. La peau prend ensuite une coloration rosée et reste fragile pendant 2 mois. Dès le dixième jour, un maquillage léger dissimule sans difficulté la différence de coloration. Il convient de bien protéger la peau des méfaits du soleil et du froid. Le résultat final n'est perceptible qu'après 2 ou 3 mois. Il est particulièrement concluant sur les peaux très ridées ou marquées de taches pigmentaires.

Les complications et dangers

Après une dermabrasion mécanique, il peut se produire une hypopigmentation, c'est-à-dire une décoloration de la peau sur le pourtour des lèvres. Inversement, lorsqu'on utilise un produit chimique, une coloration plus foncée peut apparaître sur la région abrasée : c'est l'hyperpigmentation. Cette complication se présente chez les personnes qui s'exposent fréquemment au soleil ou qui ont une peau photosensible. Ces dangers, toutefois, sont minimisés par les prétests effectués avant la dermabrasion.

Bien qu'excessivement rare, une dernière complication peut se produire lorsque l'infection ou l'abrasion excessive ont altéré la peau. Il se forme alors une cicatrice épaisse dont l'effet disgracieux ne s'estompe qu'au bout de 6 à 12 mois.

LE CUIR CHEVELU : LA CALVITIE

Si la peau est bien le premier vêtement du corps, la chevelure constitue son complément indispensable. L'importance qu'on y accorde, ne serait-ce que sur un plan esthétique, varie selon les cultures. Seules quelques rares populations du globe vénèrent une calvitie prononcée.

En nos sociétés occidentales, l'abondance d'une chevelure symbolise la jeunesse. L'alopécie, ou perte des cheveux, plus communément appelée calvitie, est un problème presque exclusivement masculin ; elle entraîne un vieillissement prématuré. Bien qu'il ne touche que l'apparence, ce problème influe sur l'image de soi et, par ricochet, sur l'image que l'on projette.

Nombreux sont les hommes victimes de calvitie qui supportent mal cette métamorphose de leur image. Ils compensent soit par des coiffures très asymétriques, en ramenant sur le dessus de la tête les cheveux de la région latérale, soit par des postiches ou des perruques. Dans bien des cas, les hommes qui refusent ces artifices adoptent un comportement et des attitudes plus conformes à l'âge qu'ils semblent avoir qu'à leur âge réel.

Les problèmes

En plus de s'attaquer majoritairement aux hommes, la calvitie est souvent héréditaire ; la testostérone, hormone mâle, en est responsable. La calvitie peut également survenir, de façon beaucoup plus brutale, chez les traumatisés et les grands brûlés. Dans ces cas bien précis, elle s'étend parfois à une grande surface du crâne et nécessite une véritable chirurgie réparatrice. La calvitie la plus courante, cependant, celle que l'on dit héréditaire, résulte d'une perte localisée de cheveux, sur les tempes, le dessus ou l'avant de la tête.

La correction

On peut agir de façon préventive en attachant les principales artères nourricières du cuir chevelu. La diminution de l'action de la testostérone empêche, jusqu'à un certain point, la chute des cheveux.

Une calvitie avancée peut être soumise à différentes chirurgies pratiquées par étapes successives. On procède, selon le cas, par prélèvements de lambeaux ou de greffons précédés ou non d'une tonsurectomie. Si le transfert de lambeaux et la tonsurectomie — dont on expliquera la technique bientôt — donnent des résultats immédiats, il n'en est pas de même pour la prise de greffons. Ces petits bouquets de cheveux, que l'on soutire à raison d'une cinquantaine à la fois, viennent ensuite couvrir une surface d'environ $25cm^2$. Le chirurgien, pour ce type de correction, vérifie l'état de la région donneuse et s'assure de l'entière collaboration de son patient. Il doit lui reconnaître, au préalable, une qualité indispensable au bon déroulement de l'opération : la détermination. Rien n'exige autant de volonté et de patience que cette intervention, pourtant mineure, qu'il faut répéter à maintes reprises.

Avant l'opération

Compte tenu de l'aspect répétitif de cette intervention, il faut insister davantage sur la préparation psychologique du patient et, surtout, sur le bien-fondé de sa démarche en chirurgie esthétique.

On doit garder les cheveux plus longs dans la région donneuse, se soumettre aux examens préopératoires usuels et effectuer un bon shampoing dans les heures qui précèdent l'opération.

Pendant l'opération

Ces interventions, qu'il s'agisse de tonsurectomie, de transfert de lambeaux ou de prise de greffons, se font sous anesthésie locale, seule ou avec narcose.

La tonsurectomie

Comme son nom l'indique, la tonsurectomie a pour but de réduire ou d'éliminer la calvitie circulaire du sommet de la tête. On enlève d'abord cette partie dégarnie, puis on décolle les parties saines qui l'entourent. Ceci permet de rapprocher les rebords de la plaie que l'on retient par des agrafes. Cette intervention peut être répétée, selon l'étendue de la calvitie.

Le transfert des lambeaux pédiculés

Les lambeaux sont formés d'une portion de cuir chevelu vascularisé prise au-dessus de l'oreille. On procède au décollement de ces lambeaux pour les transférer, par la suite, à la partie frontale dégarnie. Habituellement bilatéraux, ils forment une couronne à l'avant du crâne d'environ 3cm de large sur 10 à 18cm de long.

La région donneuse ainsi que le nouveau site des lambeaux sont refermés par des agrafes ou des points de suture. Un pansement compressif complète l'intervention.

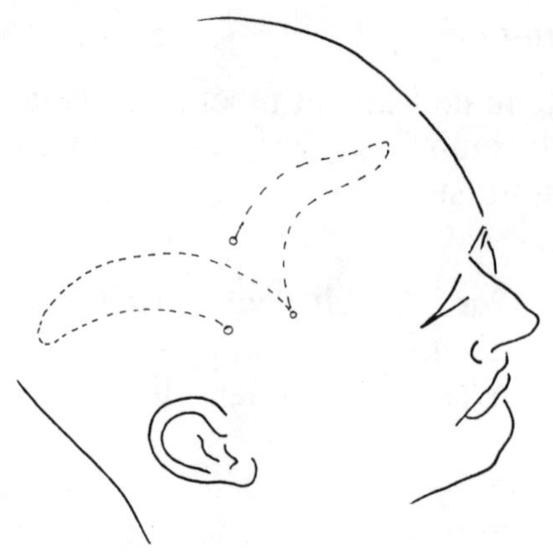

Figure 31 Planification du lambeau.

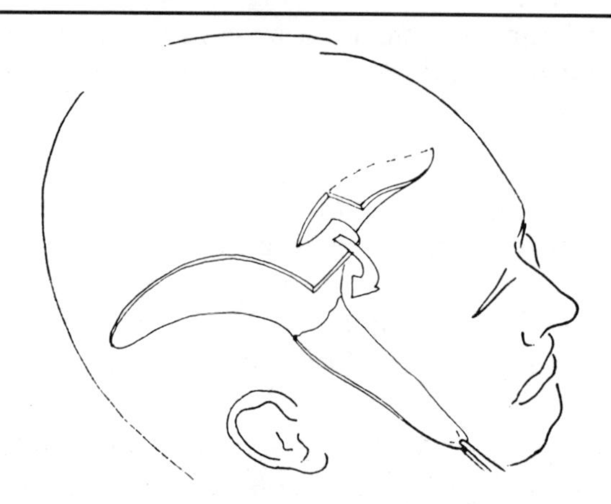

Figure 32 Transfert du lambeau.

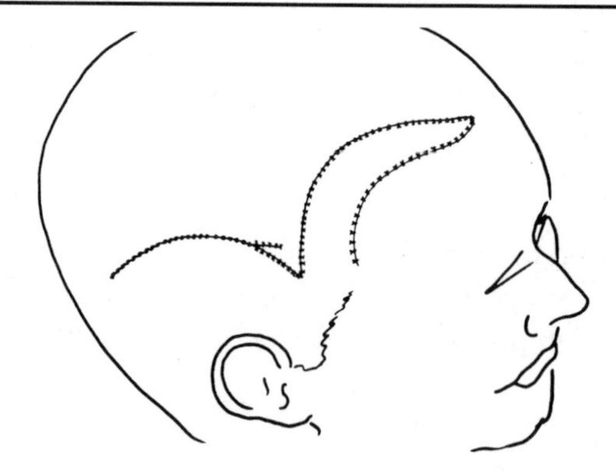

Figure 33 Suture après transfert.

La prise de greffons

Les greffons sont de petits ronds de cuir chevelu, de 3 à 5mm de diamètre, qui retiennent de 3 à 8 poils avec leur follicule. On les prélève à l'aide d'un poinçon, aux endroits fournis de la nuque où les cheveux sont beaucoup plus gros et solides. Ils sont transplantés dans la zone de calvitie après qu'un autre poinçon ait préparé le lit pour les recevoir. La pose de greffons ne nécessite aucune suture.

On réserve habituellement cette intervention pour les cas de calvitie précoce localisée sur la région frontale ou occipitale. La prise de greffons peut également compléter la tonsurectomie ou le transfert de lambeaux.

Aujourd'hui, grâce à l'utilisation de poinçons plus petits, on a pratiquement neutralisé le problème de la perte de greffons.

Après l'opération

Des pansements couvrent les plaies pendant deux jours. La vue des greffons et le suintement des plaies, il faut le dire, inquiètent souvent les patients et les personnes de leur entourage. Pour cette raison, on les dissimule aussitôt que possible sous les cheveux.

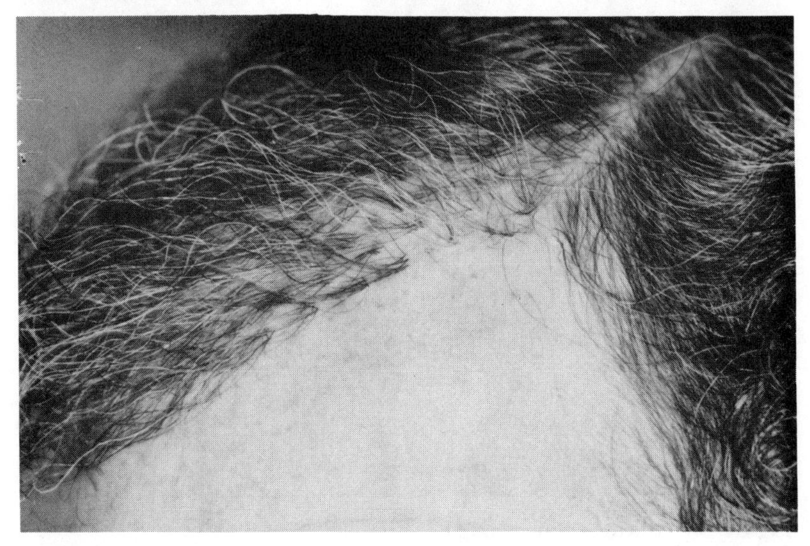

Figure 34 Greffons après la repousse.

La guérison

Au bout de 3 ou 4 jours, il faut effectuer un bon nettoyage du cuir chevelu avec des jets d'eau légers ; cette opération doit être répétée quotidiennement, jusqu'à ce que les plaies soient complètement refermées.

Au bout de 8 jours, les plaies sont refermées, les lambeaux et les greffons bien pris et ancrés dans leur nouveau site. Les cheveux transplantés tombent, pour ne repousser que deux mois plus tard. Il ne faut donc pas s'inquiéter de leur chute.

La guérison des lambeaux est plus rapide que celle des greffons ; en revanche, une cicatrice rougeâtre délimite la ligne de suture pendant 6 à 7 mois.

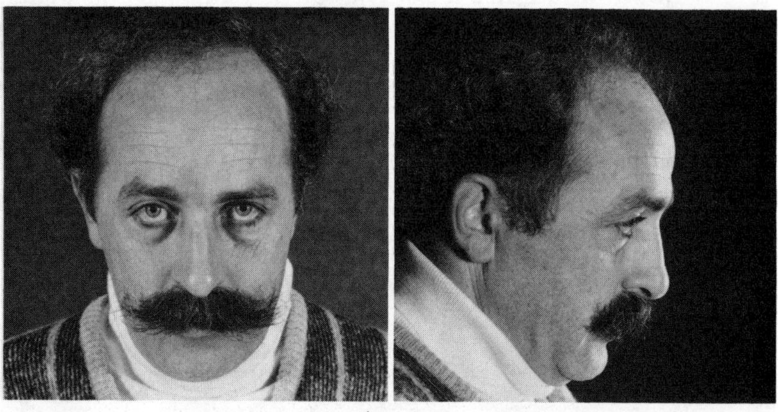

Avant

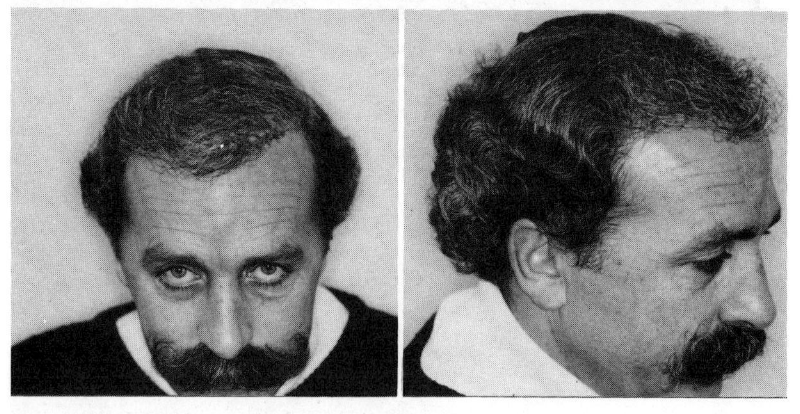

Figure 35 Greffons transplantés.
Après deux sessions (6 mois).

Les complications et dangers

La correction de la calvitie n'entraîne que fort peu de complications, si ce n'est une perte de greffons aujourd'hui grandement diminuée par l'utilisation de poinçons plus petits. Il peut, en de rares exceptions, se produire une infection à la région greffée, ce qui oblige à recommencer l'intervention.

Les progrès actuels

On utilise, depuis peu, le « skin expander », ou extenseur de peau. Il s'agit d'une prothèse gonflable insérée sous le cuir chevelu pour l'étirer. La partie allongée du cuir chevelu vient alors remplacer la partie atteinte de calvitie. Cette technique, intéressante à utiliser, présente toutefois l'inconvénient de former une bosse sur le cuir chevelu, pendant la durée d'utilisation de l'extenseur, c'est-à-dire de 6 à 8 semaines. Les résultats s'avèrent plutôt impressionnants.

L'OREILLE

On peut déceler, dès la naissance, une malformation de l'oreille. L'absence d'un des plis provoque un décollement de l'oreille. Il ne faut toutefois pas confondre malformation et développement.

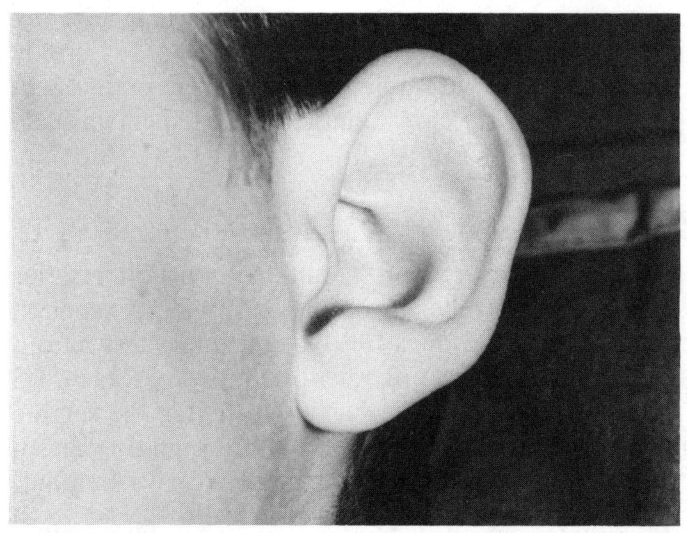

Figure 36 Conque trop grande.

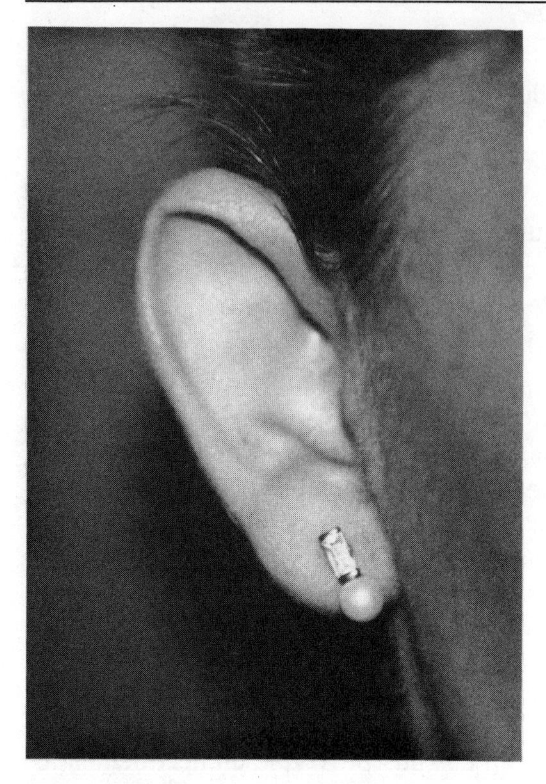

Figure 36a Absence du pli de l'oreille.

Chez l'enfant, le développement hâtif en période de croissance rapide donne souvent l'illusion que la taille de l'oreille est disproportionnée à l'ensemble de la tête. Une oreille peut sembler décollée, alors qu'elle atteint tout simplement un stade accéléré de développement.

Les problèmes

Pour éviter à leurs enfants taquineries ou colibets, les parents s'obligent à consulter très tôt le chirurgien. Exception faite de difformités grotesques qui exigent une intervention, même en bas âge, la correction de l'oreille avant l'âge de 5 ans fait l'objet de controverses, surtout si l'enfant ne semble nullement incommodé. C'est ici que le chirurgien doit dissocier la crainte des parents d'un problème réel vécu par l'enfant.

Chez l'adulte, bien sûr, l'intervention peut se faire en tout temps, sans restriction.

La correction

Deux grands types de déformation se présentent qui peuvent être corrigés. Dans le premier cas, la cavité de l'oreille externe, la conque, est exagérément grande ; le pli de l'oreille, quoique bien formé, s'éloigne du rebord de l'oreille.

La seconde déformation se caractérise par l'absence complète ou partielle du pli de l'oreille, surtout dans sa partie haute. Le pavillon se retrouve anormalement placé, à angle droit avec la tête.

Avant l'opération

Compte tenu de l'importante vascularisation de l'oreille, il faut surtout éviter un saignement excessif. L'intervention se fait à l'hôpital ou en clinique, et le retour à la maison s'effectue dans l'heure suivante. Il convient de garder les cheveux plus longs et de bien les laver avant l'opération. Des photographies sont prises.

Pendant l'opération

L'intervention ne dure que 45 minutes. On administre une anesthésie générale aux enfants en bas âge. Pour un adulte ou un enfant qui collabore une anesthésie locale avec narcose suffit.

Dans les cas d'absence plus ou moins prononcée du pli de l'oreille, on reforme ce pli à même le cartilage. Après avoir

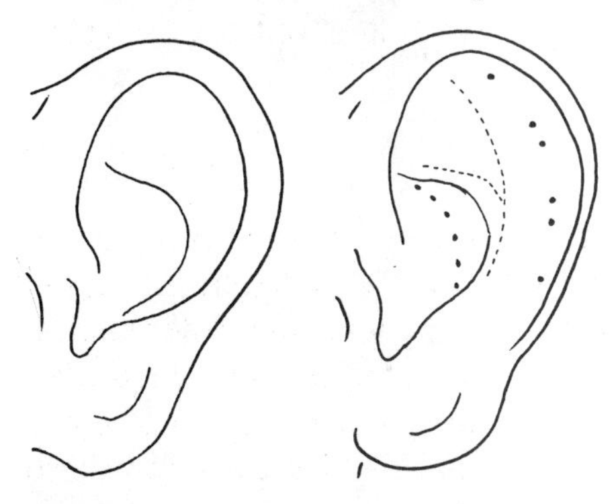

Dessin préopératoire du pli de l'oreille.

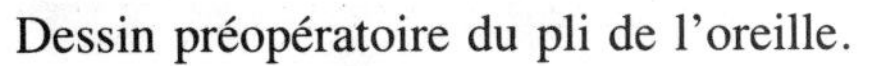

Figure 37

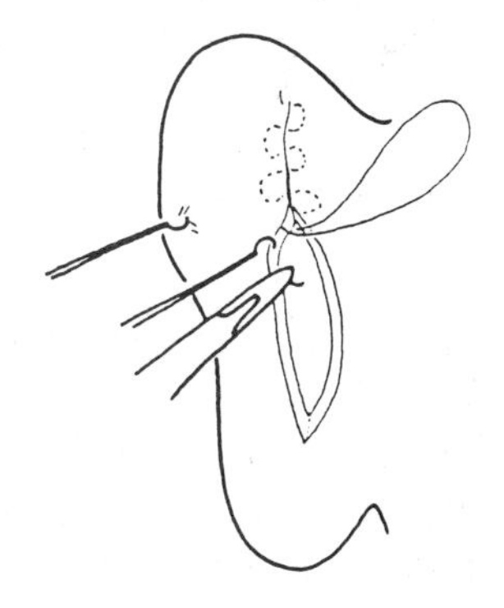

Fermeture de la plaie.

Figure 37a

retiré un morceau de peau derrière l'oreille, on coupe le cartilage, puis on le retourne sur lui-même pour former un pli. Cette technique permet aussi de rectifier la hauteur de l'oreille, de recoller le lobe déplacé, ou d'effectuer les deux opérations simultanément.

Pour corriger la cavité trop grande, on retire simplement l'excédent de peau et de cartilage en pratiquant une excision interne.

Pour ces deux types de chirurgie, un pansement compressif enveloppe la tête. En plus de diminuer le saignement, sa pression légère et régulière assure le recollement des tissus dégagés du cartilage.

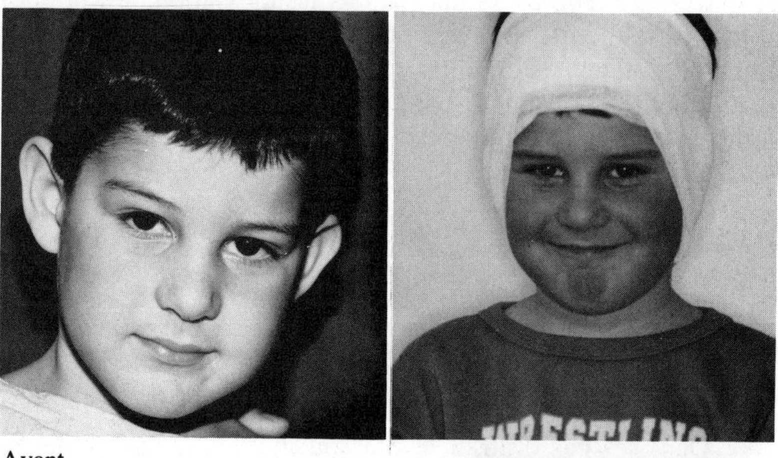

Avant

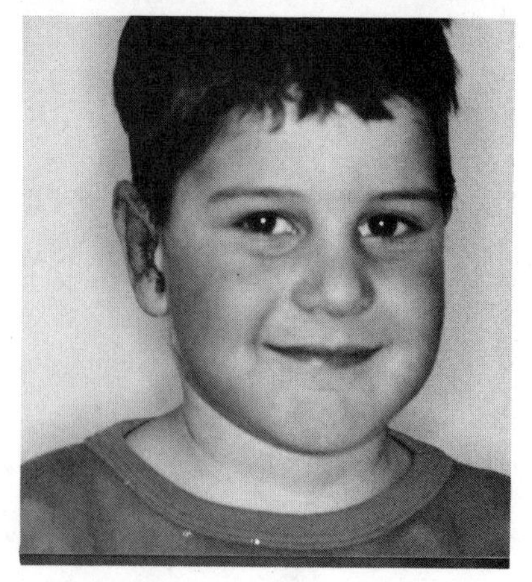

Figure 38 Résultat après enlèvement du pansement.

Après l'opération

L'effet de l'anesthésie disparu, la douleur s'installe. Elle varie en intensité selon l'âge des patients. Elle est plus forte chez l'adulte que chez l'enfant ; il suffit de limiter les activités quotidiennes de ce dernier, afin d'éviter un saignement abondant.

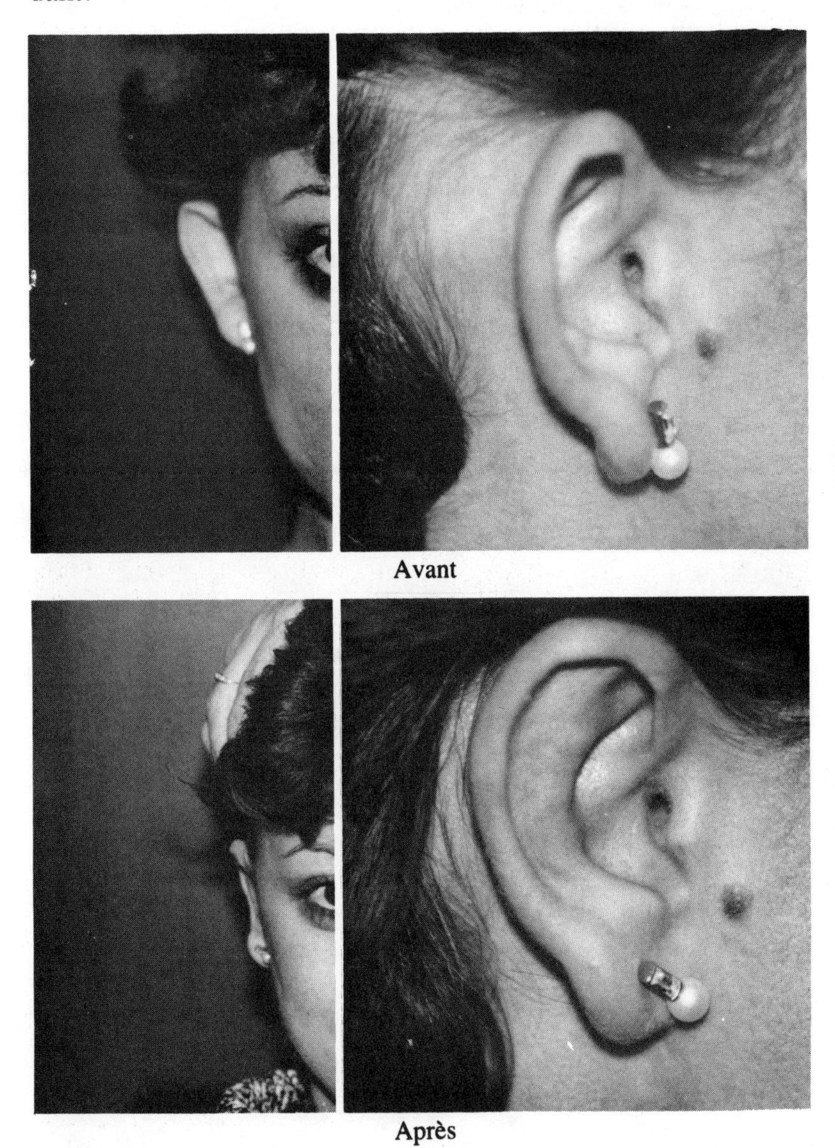

Avant

Après

Figure 39

La guérison

Le pansement reste en place pendant une semaine. Au bout de 7 jours, on constate que l'oreille conserve une coloration rosée, ainsi qu'une certaine sensibilité qui dure de 6 à 8 semaines.

Dans la très grande majorité des cas, l'intervention donne d'excellents résultats et les patients trouvent un changement appréciable.

Les complications et dangers

La première complication à redouter est l'hématome, occasionné la plupart du temps par une absorption d'aspirine ou un excès d'activité physique. L'hématome se manifeste par des suintements souillant le pansement et par des douleurs qui s'intensifient. L'évacuation de l'hématome, puis le changement de pansement règlent aussitôt le problème et préviennent une complication beaucoup plus grave : l'infection. Celle-ci se manifeste par une douleur accompagnée de fièvre. En pareil cas, il importe de consulter sans délai le chirurgien ; il prendra les mesures nécessaires pour contrecarrer l'infection qui pourrait provoquer une nécrose cutanée ou une perte de cartilage.

Les progrès actuels

Dans certains cas, des techniques de scarification suffisent à corriger l'absence du pli de l'oreille. On pratique simplement de petites incisions du cartilage à l'aide d'une aiguille glissée sous la peau.

CHAPITRE 3

LES SEINS

Les seins constituent, chez la femme, un caractère sexuel secondaire dont l'importance a beaucoup varié au cours des siècles. L'histoire nous rappelle qu'à travers les arts, particulièrement la peinture et la sculpture, l'exposition des seins a été tantôt interdite, tantôt recherchée, tant pour leurs qualités plastiques que pour leur valeur évocatrice.

Les seins font partie de l'image féminine et de l'équilibre de la silhouette ; leur volume, qu'on le veuille ou non, influe directement sur l'apparence. Trop petits ou inexistants, les seins neutralisent et, quelquefois, masculinisent l'image du corps. Trop volumineux, ils exacerbent les caractéristiques sexuelles secondaires de l'apparence.

Une belle poitrine est un élément de fierté et les modifications qu'elle peut subir au cours des ans sont difficilement acceptables, surtout lorsqu'elles déséquilibrent la silhouette. Cet état de fait, s'il découle du regard que les femmes portent sur leur propre corps, n'en est pas moins assujetti aux contraintes du milieu social, professionnel, ethnique, et des critères de la mode. Ces critères varient avec les époques, on pourrait même dire avec les décennies. Ainsi, dans les années 60-70, les femmes se sont libérées du soutien-gorge ; elles ont ainsi voulu montrer leur acceptation des caractéristiques de leur corps, en valorisant toutes les formes de seins, y compris les seins lourds ou affaissés. En raison de la popularité du nudisme, du port du monokini et, ces toutes dernières années, des tendances vestimentaires androgynes ou unisexes, les critères de la mode se sont transformés. Ils tendent à proposer de plus en plus une silhouette où les seins, tout en conservant leur caractéristique de différenciation sexuelle, sont plus proportionnés à l'ensemble du corps.

La quasi-absence de seins est maintenant perçue comme une dévalorisation de l'image du corps par bon nombre de femmes. Non seulement cet hypodéveloppement altère-t-il l'esthétique de la silhouette, mais il agit sur le plan psychologique. Il est vécu comme un manque, une carence.

Par ailleurs, l'affaissement des seins est considéré comme un élément déstructurant. Il ne s'agit plus du sentiment d'un manque mais plutôt d'un sentiment confus, associé à la perte de la jeunesse ou de la santé physique. Plus encore, certaines femmes ont, après une grossesse, l'impression d'avoir été trompées. Alors que les seins projettent l'image de la maternité dans toute sa beauté et son symbolisme, une grossesse laisse quelquefois les traces d'une tout autre réalité : les seins subissent une trop grande métamorphose et se retrouvent comme vidés de leurs glandes. C'est le moment où beaucoup de femmes consultent en catastrophe un chirurgien et lui demandent une correction de leurs seins, cela dès la première grossesse. Elles procèdent ainsi, sans trop s'en rendre compte, à la récupération de leur image.

Une femme aux seins trop volumineux affiche souvent une certaine pudeur dans sa tenue vestimentaire, ses gestes et son allure. Consciente d'attirer les regards, elle se sent, plus souvent qu'autrement, malheureuse de cet état de chose ; elle soupçonne constamment ceux qui posent le regard sur elle d'avoir l'œil attiré par ses seins. Les chirurgiens plasticiens ont remarqué deux attitudes propres à ces femmes : ou elles dissimulent leurs seins en se laissant aller à l'obésité, ou elles cherchent à en diminuer le volume par des régimes amaigrissants répétitifs.

D'autres femmes, moins préoccupées par le seul aspect esthétique de leur corps, consultent néanmoins le chirurgien pour des raisons de santé. Les seins volumineux, il faut le dire, causent des problèmes fonctionnels. Ils provoquent des maux de dos, un affaissement des épaules ou encore une douleur dans les seins mêmes.

Morphologie

Chaque sein renferme une glande mammaire en forme de grappes et des canaux qui convergent vers le mamelon. Des bandes fibreuses, situées entre ces grappes, attachent la glande au thorax. La peau, qui enveloppe la glande, constitue le principal soutien du sein. L'aréole, d'un diamètre de 4cm environ, doit normalement s'éloigner d'environ 5cm du pli sous-mammaire.

Les problèmes

L'hypoplasie, ou sein trop petit, est un problème très fréquent dû au faible développement de la glande mammaire. Cette dernière n'atteint pas les proportions habituelles du sein.

Le problème inverse, l'hypertrophie, ou sein trop gros, est dû à une glande trop développée ou à un dépôt graisseux formé dans le sein. L'hypertrophie est généralement reliée à un excès de poids.

L'asymétrie, elle aussi très fréquente, se caractérise par une différence assez marquée de volume et de forme entre les deux seins. Cette asymétrie peut prendre des proportions telles qu'une correction devient nécessaire.

La ptose, ou chute des seins, dépend en tout premier lieu de l'état de la glande mammaire. Ce sont les grossesses (en fréquence et en nombre) et les pertes de poids trop rapides qui modifient le volume et la forme de cette glande. L'élasticité et la fermeté de la peau jouent aussi un rôle important. À la suite d'une grossesse, par exemple, une peau étirée et flasque peut entraîner un effet de ptose. On doit également retenir qu'avec les années la peau perd une partie de son élasticité naturelle.

LA CORRECTION DE L'HYPOPLASIE : L'AUGMENTATION MAMMAIRE

Cette chirurgie d'addition se pratique déjà depuis 30 ans. Les premières greffes graisseuses, prises dans la fesse, ont été remplacées par des prothèses synthétiques qui se sont modifiées au cours des années. On les a d'abord fabriquées avec de l'éthéron, puis avec du silicone. Ce dernier matériau est encore utilisé aujourd'hui, mais on l'entoure de polyuréthane. Par ces changements successifs, on a tenté d'éliminer la capsule fibreuse, c'est-à-dire le durcissement du sein causé par la pression des tissus cicatriciels sur la prothèse.

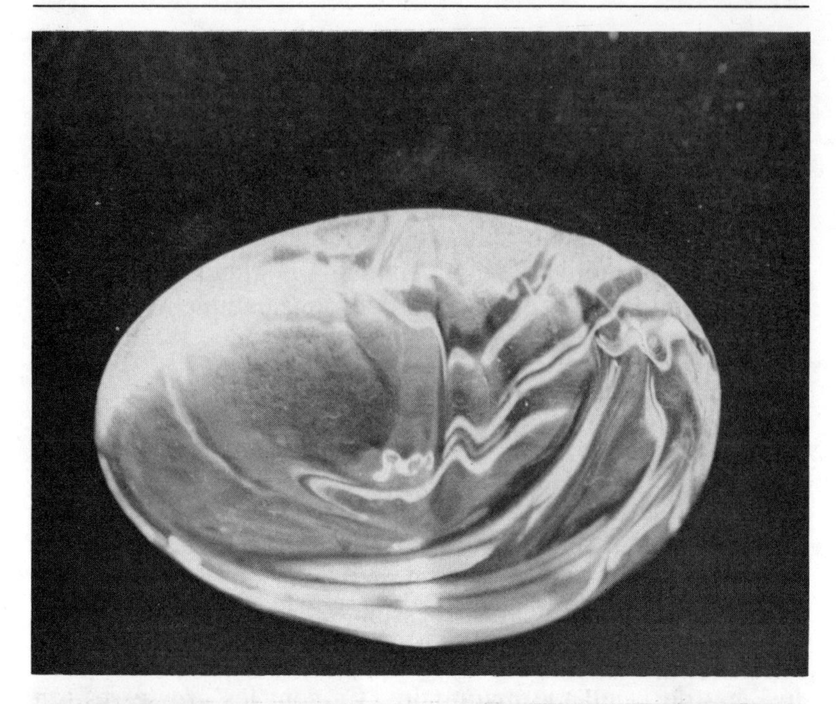

Figure 40 Prothèse de silicone lisse.
Prothèse MEME recouverte de polyuréthane.

Évolution de la technique

Avant les années 70, on insérait une prothèse fixée au thorax par des attaches. La quasi-totalité des femmes se retrouvaient alors avec des seins durs. Depuis 1975, on insère plutôt des prothèses mobiles, ce qui diminue de 30 à 40% les cas de capsule fibreuse. La mobilité de la prothèse, assurée par des massages, garde le sein souple et améliore la qualité des résultats. L'arrivée sur le marché d'une nouvelle prothèse de silicone silastic, appelée SILASTIC II, et dont la paroi plus épaisse est imperméable, a grandement atténué la formation de capsule fibreuse. On a démontré, en effet, que le suintement de gouttelettes de silicone à travers la paroi des anciennes prothèses était un facteur important de durcissement du sein.

En 1980, aux États-Unis, et depuis deux ans au Canada, une nouvelle prothèse a fait son apparition. Il s'agit de la prothèse MEME entourée de polyuréthane. Elle provoque encore une capsule fibreuse, mais cette fois sans induration. L'amélioration est due au fait que les tissus cicatriciels, gorgés de polyuréthane, ne peuvent plus se contracter pour adhérer à la prothèse. En outre, la surface granuleuse de l'enveloppe contribue aussi à éliminer la contraction, ce qui n'était pas le cas avec les enveloppes de silicone lisse. Ces nouvelles prothèses, il est bon de le souligner, n'occasionnent ni formation de tumeurs, ni transformation de la glande mammaire. Par contre, il peut arriver qu'elles produisent une réaction allergique sous forme de rougeurs qui disparaissent en quelques jours. On cite aussi quelques cas d'infection dus à cette prothèse.

Avant l'opération

Le choix du volume du sein ne se fait pas à la légère. L'accord entre le chirurgien et la patiente est primordial. Si le médecin doit tenir compte des goûts de sa patiente, celle-ci doit, par ailleurs, connaître les limites de ce type de chirurgie. L'élasticité de la peau, la forme du thorax, la quantité de tissus glandulaires ou graisseux recouvrant la prothèse sont autant de facteurs qui déterminent le choix du volume des prothèses. Toute maladie ou symptôme antérieurs doivent être signalés. Les seins sont soumis à un examen complet avant l'opération.

Pendant l'opération

Il s'agit d'une intervention mineure. Elle dure moins d'une heure et ne nécessite pas d'hospitalisation. On administre, selon le cas, une anesthésie générale ou locale. Quatre types d'incisions peuvent être pratiqués.

1. *L'incision péri-aréolaire :* elle se fait sur le pourtour inférieur de l'aréole. C'est l'incision qui laisse les traces les moins visibles et donne le résultat le plus satisfaisant. Elle peut cependant entraîner une perte de sensibilité partielle et temporaire du mamelon.

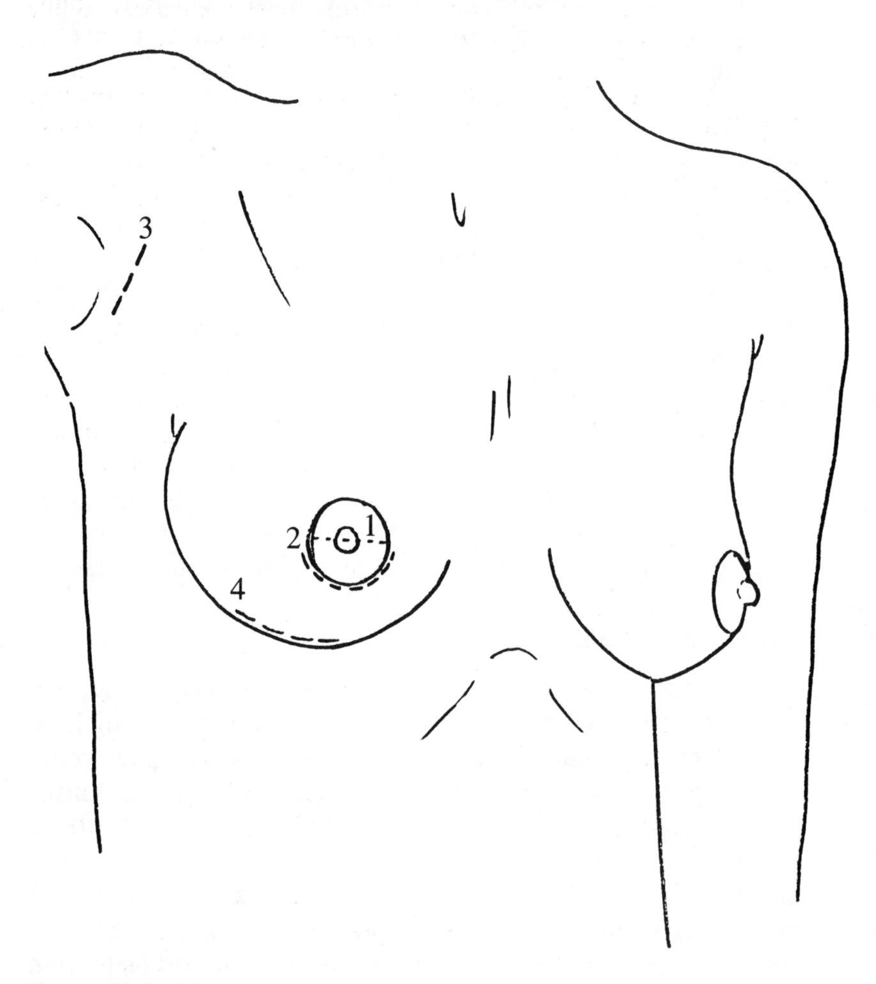

Figure 41 Incisions.

2. *L'incision transaréolaire :* elle traverse le mamelon de part en part. C'est une excellente incision. On l'évite toutefois chez les femmes dont les aréoles sont foncées, en raison de la ligne blanchâtre de la cicatrice.
3. *L'incision axillaire :* elle se fait au creux de l'aisselle et se dissimule facilement. On la réserve aux cas d'aréoles trop petites ; en effet elle limite, jusqu'à un certain point, le travail du chirurgien. La cicatrice demeure rougeâtre pendant 3 mois.
4. *L'incision dans le pli sous-mammaire :* pendant plusieurs années, elle a été la plus utilisée. Elle demeure excellente pour les patientes dont la peau cicatrice bien.

Une fois l'incision pratiquée, on crée la cavité qui recevra la prothèse. Le décollement de la glande, ou des tissus, se fait à partir du rebord du sternum jusqu'à celui de la cage thoracique, en allant vers le haut, à proximité de l'aisselle. La prothèse est ensuite insérée dans la cavité. Des points de suture cachés sous la peau referment la plaie et un pansement compressif est appliqué.

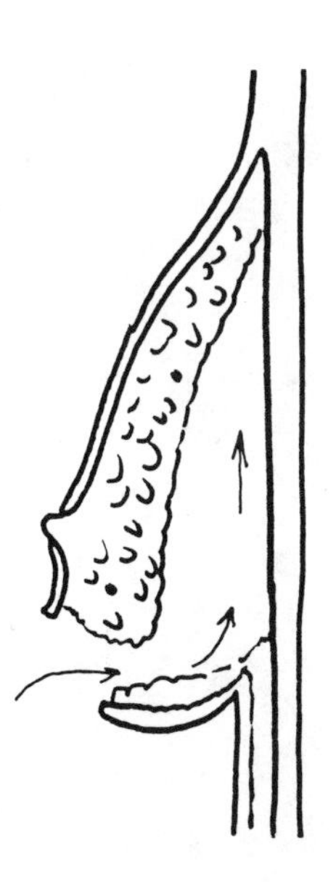

Décollement sous la glande.
Figure 42

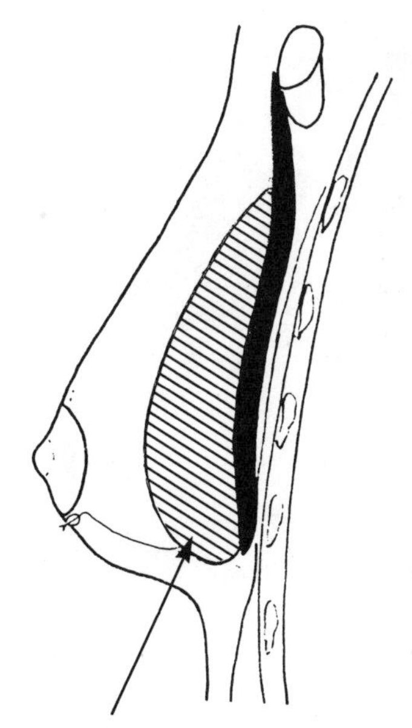

Prothèse insérée dans la cavité.
Figure 43

Après l'opération

Une douleur aiguë s'installe presque aussitôt et restreint le mouvement des bras, particulièrement vers le haut. L'intensité de la douleur diminue dès que l'on adopte la position assise ou debout. On peut quitter la clinique quelques heures après l'intervention. Pour éviter une augmentation de la tension artérielle, il faut, les premiers jours, réduire au maximum ses activités. Calme, repos et calmants sont les meilleures suggestions. Le pansement, qu'on enlève au bout de 3 jours, peut être remplacé par un soutien-gorge.

La première semaine écoulée, de faibles douleurs subsistent encore, accompagnées d'une légère sensibilité. Lorsque la peau est trop tendue, on applique une bonne crème hydratante et on pratique de légers massages.

Au bout de 15 jours, 80% de l'œdème s'est dissipé. Les cicatrices encore rougeâtres s'estompent à un rythme plus ou moins rapide, selon le type d'incision pratiquée et la capacité de guérison propre à chaque femme. Toutefois, elles demeurent dures pendant plusieurs semaines, **ce qui ne doit pas soulever d'inquiétudes.**

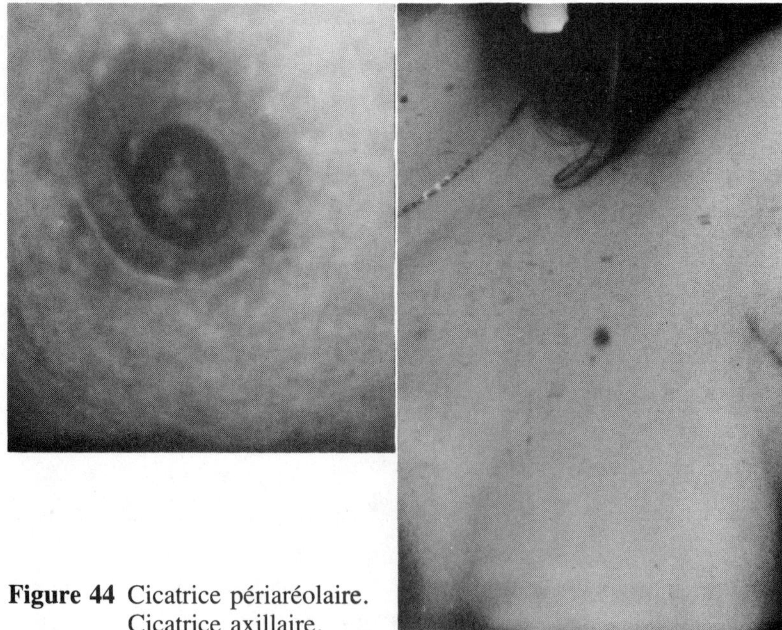

Figure 44 Cicatrice périaréolaire.
Cicatrice axillaire.

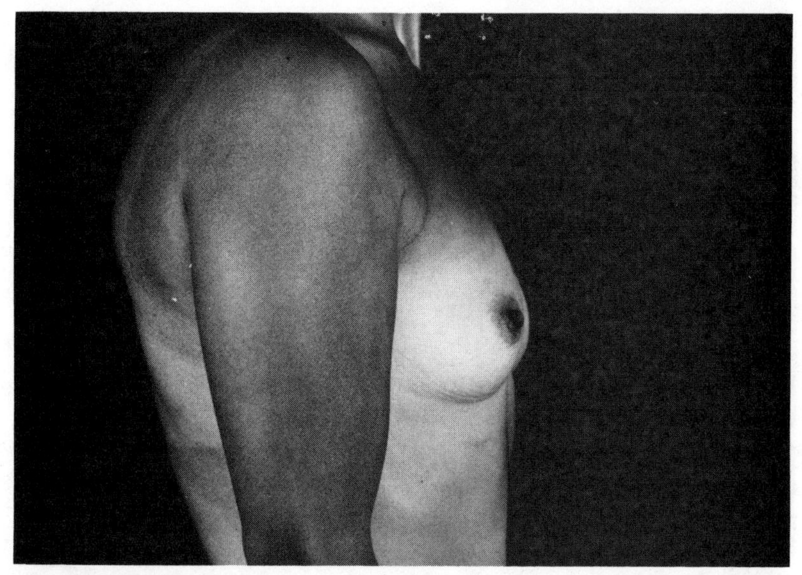

Avant

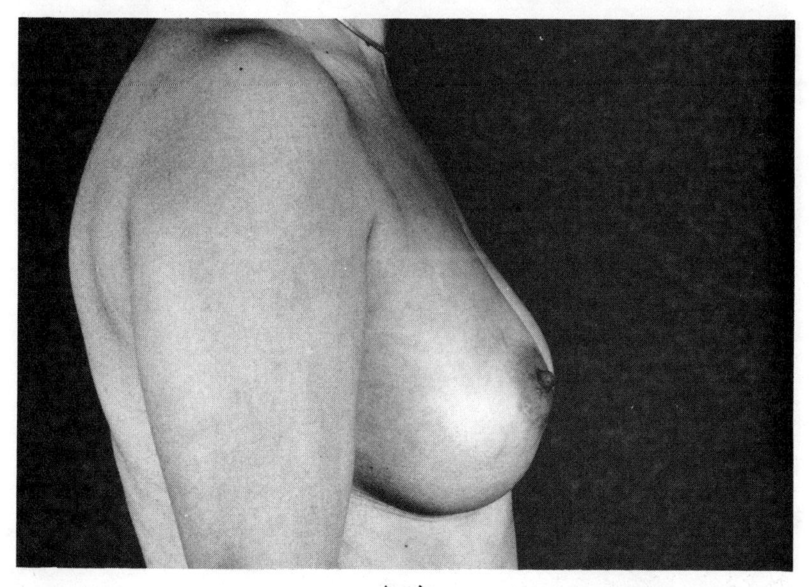

Après

Figure 45 Augmentation mammaire.

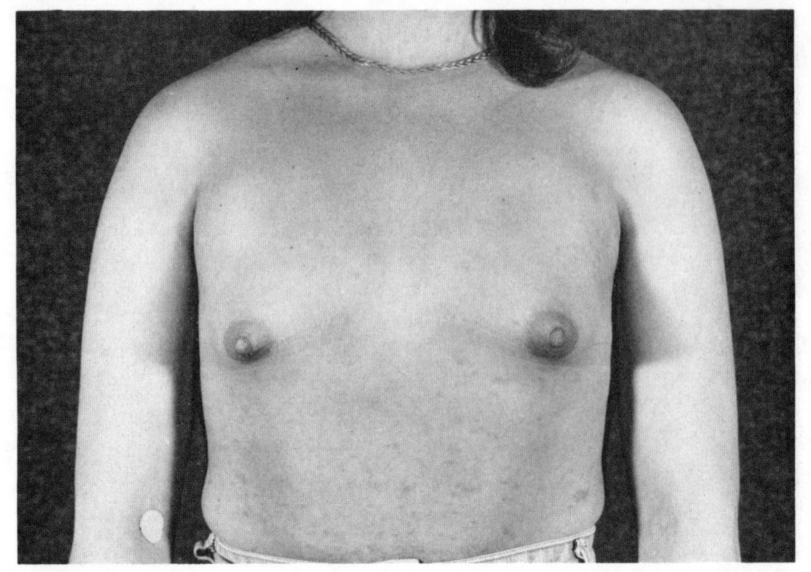

Avant

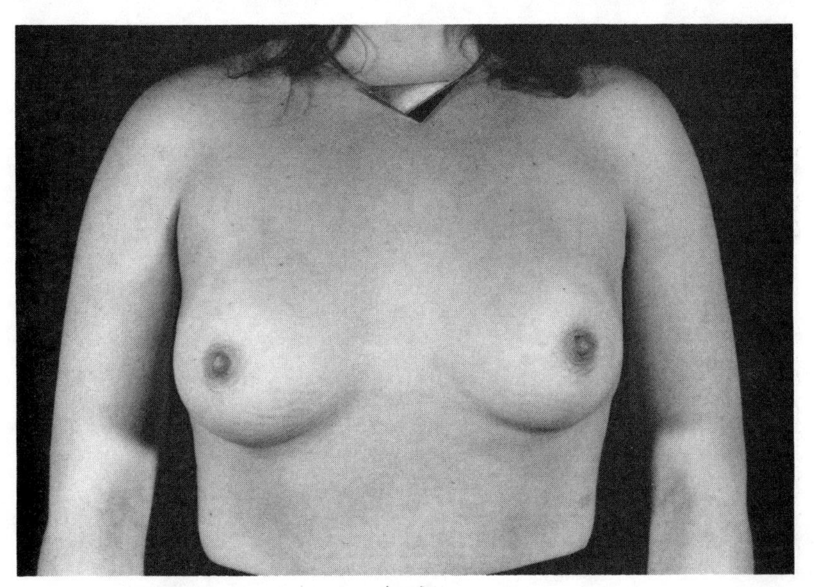

Après

Figure 45a Augmentation mammaire.

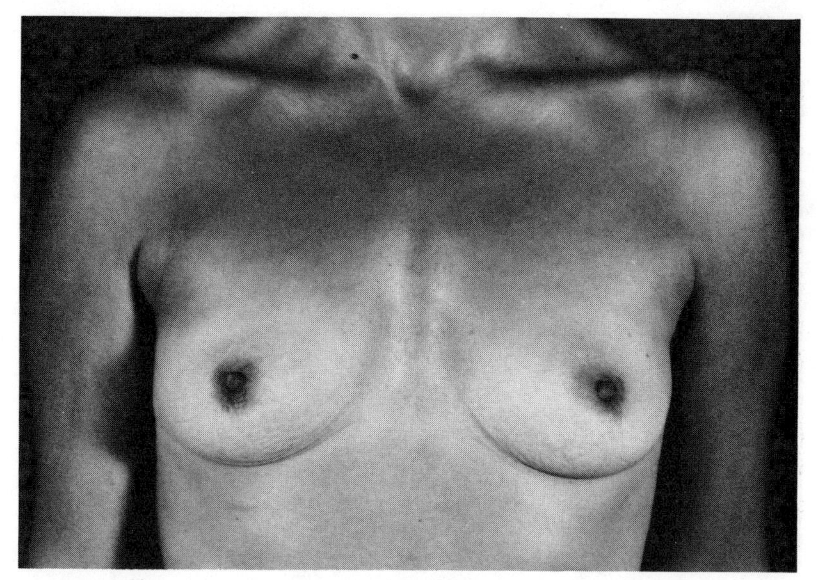

Avant

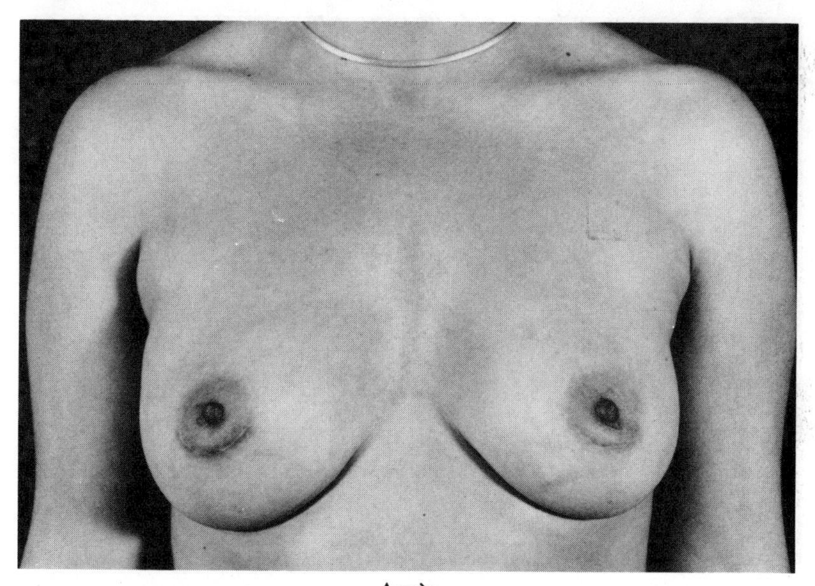

Après

Figure 46 Augmentation mammaire.

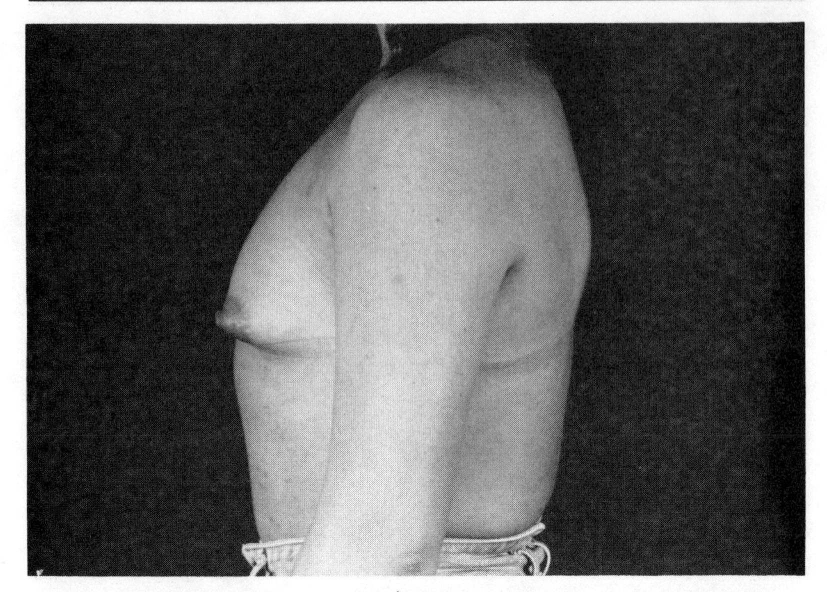

Avant

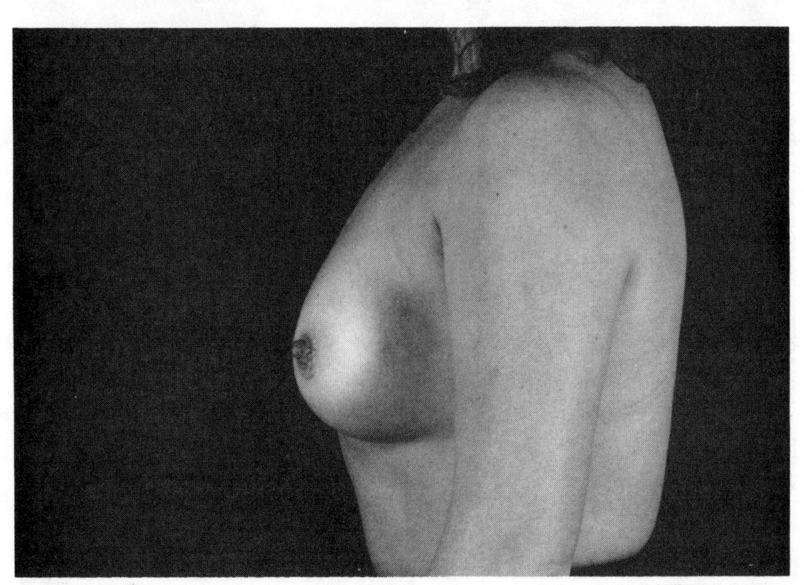

Après

Figure 46a Augmentation mammaire.

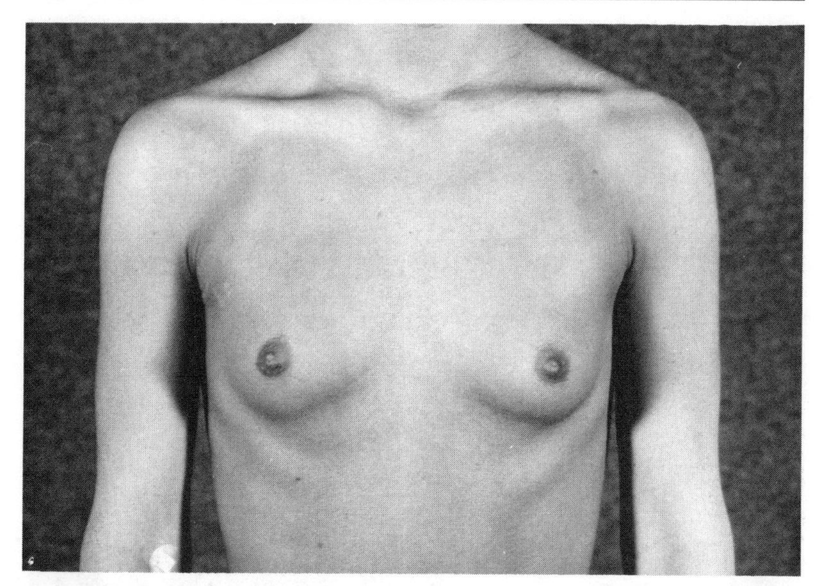

Avant

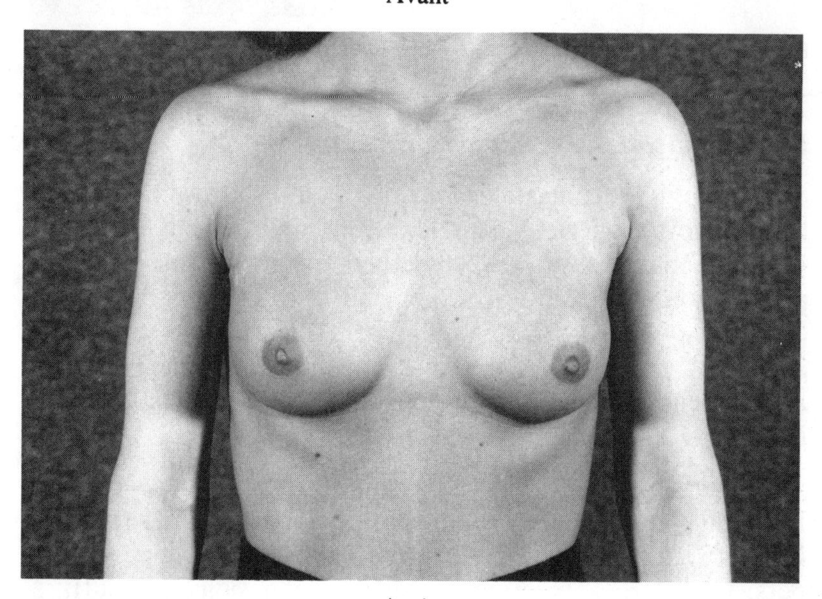

Après

Figure 47 Augmentation mammaire.

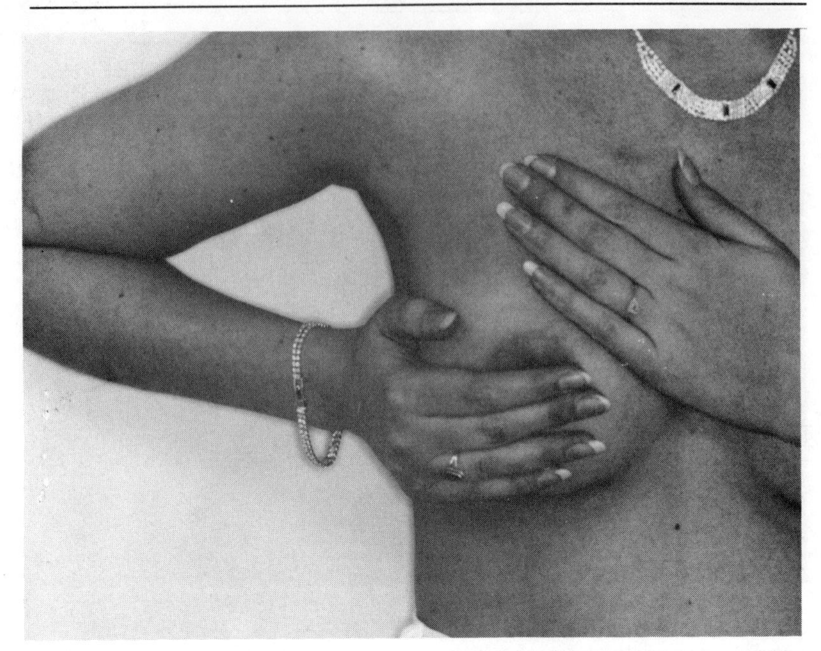

Figure 48 La prothèse n'empêche pas l'auto-examen des seins.

Les complications et dangers

Dans 1% des cas à peine, on déplore la formation d'un hématome ; il survient dans les heures qui suivent immédiatement l'intervention. L'écoulement d'un vaisseau sanguin provoque alors un grossissement du sein accompagné d'une douleur soudaine. Cet hématome peut apparaître si la patiente a fait des efforts ou si elle a absorbé de l'aspirine. On doit absolument, en pareil cas, consulter le chirurgien qui doit évacuer le sang accumulé.

Tout aussi rare que l'hématome, l'infection peut se manifester une semaine environ après l'opération. Le sein se gonfle, la peau rougit et des douleurs accompagnées de fièvre se font persistantes. Si l'infection est légère, un antibiotique suffit à régler le problème. Si elle est plus grave, il faut réouvrir la plaie et peut-être même enlever la prothèse. On la replace dans la cavité lorsque l'infection s'est dissipée complètement.

L'induration, due à la capsule fibreuse déjà décrite, était et est encore la complication la plus tardive ; elle peut apparaître après plusieurs semaines, ou même plusieurs mois, chez

30% des patientes ayant reçu des prothèses de silicone lisse. L'utilisation des nouvelles prothèses entourées de polyuréthane enraie pratiquement ce problème.

On peut faire disparaître la capsule fibreuse, dans la très grande majorité des cas, par des manipulations et des massages. Si un léger durcissement persiste, on conseille de le tolérer, surtout lorsqu'il n'est ni douloureux, ni incommodant. Par contre, dans les cas graves, un remplacement de prothèse s'impose.

Les progrès actuels

On fait constamment des recherches sur les prothèses mammaires ; mais il faut admettre qu'elles demeurent toujours un corps étranger entraînant une réaction de l'organisme. Il reste à découvrir une prothèse encore mieux tolérée par le corps. Pour l'instant, la nouvelle prothèse recouverte de polyuréthane représente, en ce domaine, l'amélioration la plus valable.

LA CORRECTION DE L'HYPERTROPHIE : LA RÉDUCTION MAMMAIRE

L'hypertrophie dénote aussi un problème esthétique qui s'additionne, cette fois, d'un problème fonctionnel. En effet, la patiente dont les seins sont trop gros souffre souvent de douleurs dans le cou et dans le dos, ce qui l'amène à consulter différents médecins, chiropraticiens, etc.

Elle doit parfois supporter des irritations et des infections causées par la friction de la peau sous les seins, ce qui nécessite, dans les cas extrêmes, l'utilisation d'onguents et de pansements.

Évolution de la technique

Une meilleure connaissance de la vascularisation du sein a permis de réaliser des progrès dans ce type d'intervention. Le bloc central du sein — c'est-à-dire l'ensemble formé par l'aréole et le mamelon, ses nerfs, ses conduits lactifères et ses vaisseaux sanguins — peut conserver le volume désiré, tandis que le pourtour est réduit à son minimum de tissus graisseux,

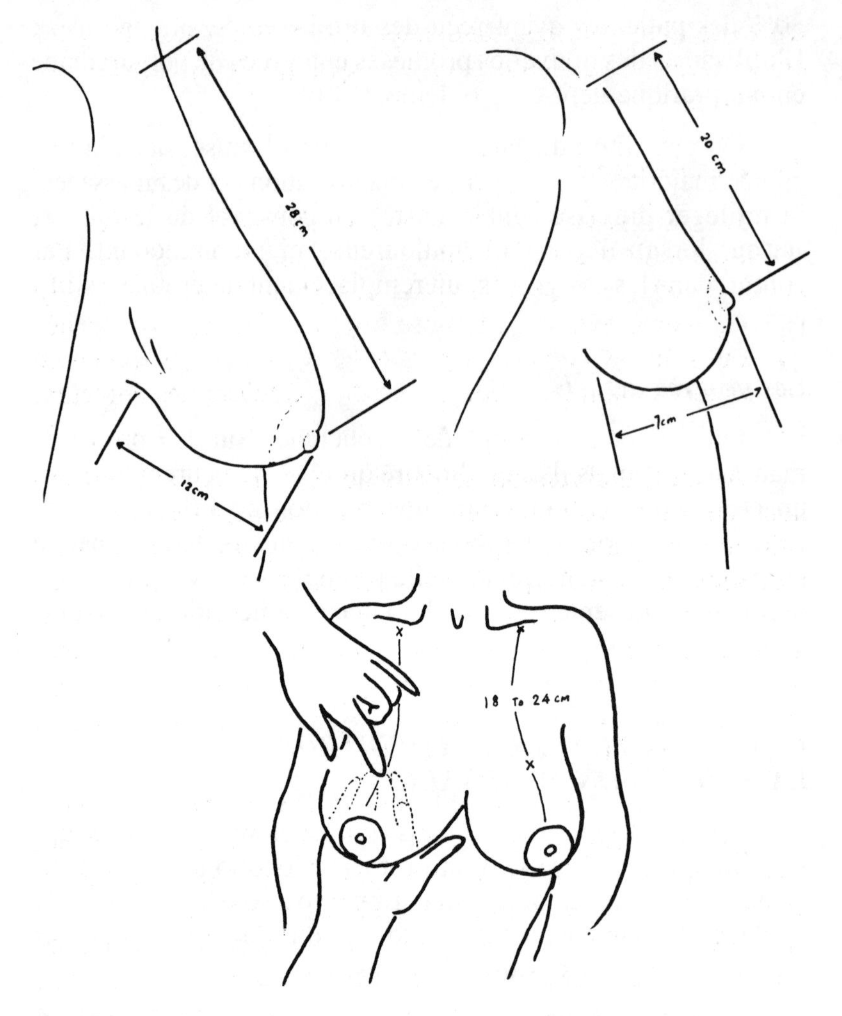

Figure 49 Évaluation préopératoire des mensurations.

et la peau redrapée. On combat ainsi la perte de sensibilité du mamelon et les dangers de nécrose (la mort des tissus de l'aréole). On a constaté que la peau conservait son pouvoir de contraction, même sur une glande diminuée en volume. Ceci permet d'exécuter des incisions moins longues et mieux centrées.

On a finalement découvert que, pour équilibrer le sein et lui conserver son aspect naturel, il fallait bien le centrer puis localiser le mamelon à partir du pli sous-mammaire existant.

On évite alors que les mamelons se retrouvent trop haut sur un sein qui chute toujours un peu quelque temps après l'intervention.

Avant l'opération

L'évaluation des masses internes (bosses à l'intérieur du sein), demeure toujours difficile à faire sur des gros seins. On suggère donc la mammographie aux femmes de plus de 40 ans. Ce même examen s'impose pour les femmes plus jeunes qui souffrent de dysplasie (masses étirées en chapelets) ou de symptômes comme un écoulement du mamelon, des douleurs, etc.

Avant l'intervention, la patiente et le chirurgien conviennent du futur volume des seins. Ils doivent équilibrer la silhouette et, par ailleurs, être assez réduits pour éviter la ptose. Des seins trop gros après l'opération descendent facilement, et les cicatrices tendent à s'élargir. Il faut aussi se rappeler qu'à la suite de l'opération, toute modification de poids peut compromettre les résultats. Un amaigrissement entraîne un affaissement ; une prise de poids provoque une dislocation de la glande mammaire, sous l'aréole.

Quant aux cicatrices, mieux vaut se préparer à en supporter les traces visibles pendant plusieurs mois. Le comportement idéal est encore celui de la patiente qui, avec son chirurgien, vérifie à l'aide de photos ou du vidéo l'apparence de ses futures cicatrices. La rencontre d'une femme ayant déjà subi cette intervention complète très bien la préparation. Une bonne condition physique est recommandée : pas de cigarettes ni d'aspirine.

Malgré les examens, les préparatifs et les photographies prises peu avant l'opération, le chirurgien doit prendre la mesure précise des seins, en position debout ou assise, dans les moments qui précèdent immédiatement l'intervention. C'est à partir de cette dernière mesure qu'il localisera l'aréole.

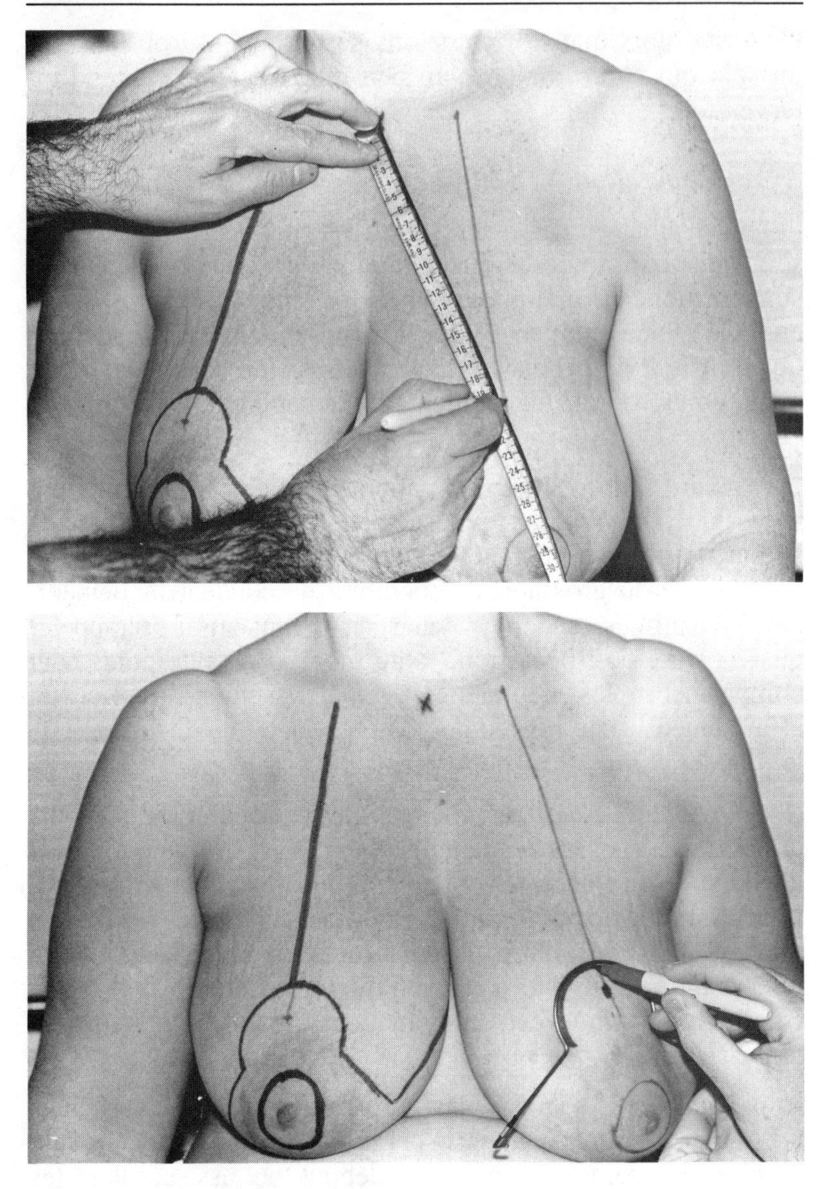

Figure 50 Dessin préopératoire.

Pendant l'opération

L'anesthésie générale avec hypotension (basse tension) contrôlée facilite le travail du chirurgien. Il peut de cette façon diminuer la durée de l'opération et réduire le saignement. L'intervention dure de une à deux heures et nécessite deux incisions :

1. *L'incision péri-aréolaire :* elle s'applique à tous les cas de réduction mammaire où il faut relocaliser le mamelon et l'aréole.
2. *L'incision sous-mammaire :* différents types d'incision peuvent être pratiqués, selon la quantité de peau à enlever. Le chirurgien en fait une seule, verticale ou oblique pour une hypertrophie modérée, ou encore deux, en forme de T inversé dans les cas graves.

D'autres techniques permettent des incisions différentes. Quoi qu'il en soit, il demeure important de toujours respecter la vascularisation de la glande et de limiter la longueur des cicatrices.

On effectue ensuite les sutures avec des fils résorbants. Dans les cas d'allergie, on utilise des fils de nylon ; ils donnent d'excellents résultats, mais doivent être enlevés par la suite.

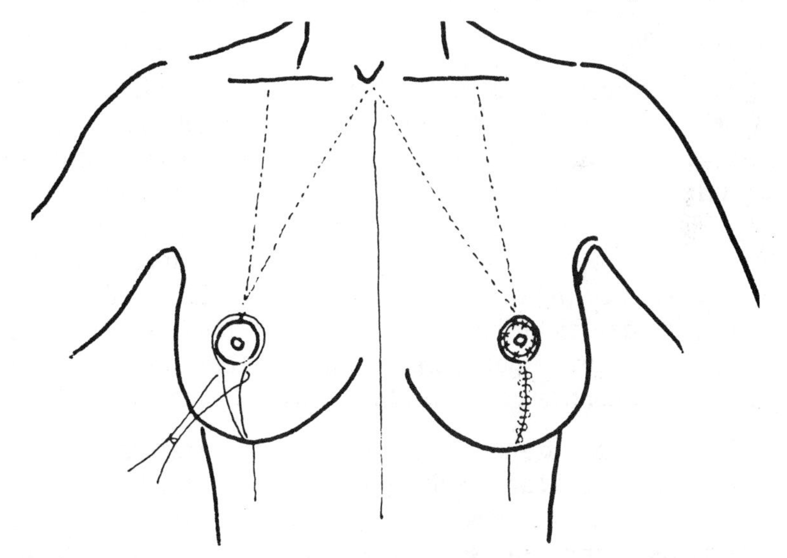

Figure 51 Fermeture des plaies après réduction.

Bien qu'elles soient désagréables à l'œil, les agrafes conviennent fort bien aux endroits de forte tension, d'autant plus qu'elles ne créent que rarement des réactions cutanées désagréables. Des pansements non adhérents sont appliqués. On les recouvre d'une épaisse couche de coton absorbant qui a pour but de retenir le sérum qui s'écoulera des plaies. Le tout se maintient bien en place à l'aide de bandes élastiques.

Après l'opération

Contrairement au cas d'augmentation mammaire, les douleurs sont étonnamment supportables. De leur propre aveu, les patientes ne ressentent qu'un brûlement de la peau dans les heures suivant l'intervention. Les mouvements augmentant la douleur, il convient de les éviter, d'autant plus qu'ils peuvent causer un hématome. Certaines patientes retournent chez elles le jour même ; la majorité des opérées, toutefois, demeurent hospitalisées 2 jours.

Au bout d'une semaine, les ecchymoses commencent à s'atténuer. Les plaies restent rougeâtres et un écoulement peut se produire, sans qu'il faille s'en inquiéter. De façon générale, les patientes reprennent — même trop tôt — leurs activités, compte tenu du peu de douleur ressentie.

La guérison

L'œdème persiste pendant plusieurs mois. Il s'accompagne de légers malaises qui s'atténuent graduellement. Ce sont les cicatrices qui constituent l'inconvénient majeur de la réduction mammaire. En effet, la femme, enfin soulagée de ce poids qui la gênait et ravie de retrouver une forme rajeunie de ses seins, est fort souvent perturbée par l'apparence des cicatrices, et ce même si on l'a déjà avertie de ces séquelles. La qualité des cicatrices et leur résultat final varient d'une personne à l'autre, mais certains facteurs prévisibles, de leur côté, influencent la guérison. Les voici :

1. *L'âge :* contrairement à ce que l'on pourrait croire, la jeune fille de 18 à 20 ans risque, plus que tout autre, de présenter des cicatrices larges ou vicieuses en raison de la densité du tissu graisseux sous la peau à cet âge. Les cicatrices

forment une ligne plus fine chez les femmes d'environ 24 ans et plus, alors que la meilleure cicatrisation se fait souvent chez les femmes de plus de 50 ans.

2. *La qualité de la peau :* la peau mate, plus ferme et plus foncée, produit des cicatrices plus longues à blanchir. Sur une peau pâle, les cicatrices sont d'un blanc plutôt rosé et se confondent davantage avec la pigmentation de la peau. Il ne s'agit pas là de règles absolues, mais de constatations basées sur l'observation et l'expérience des chirurgiens.

3. *La modification du poids :* comme on l'a déjà souligné, il faut éviter toute prise de poids importante qui entraînerait à la fois une déformation du sein et un élargissement des cicatrices.

   Quoi qu'il en soit, la femme opérée doit surtout être patiente ; aux environs du 3e mois, les cicatrices entrent dans une phase critique et déterminante. Par la suite, les rougeurs et « cordons » diminuent peu à peu, pour atteindre leur qualité maximale après une année complète. Rappelons qu'une cicatrice faite autour de l'aréole est toujours plus blanchâtre, et de meilleure qualité que celle pratiquée sous le sein, là où s'exerce une plus forte tension.

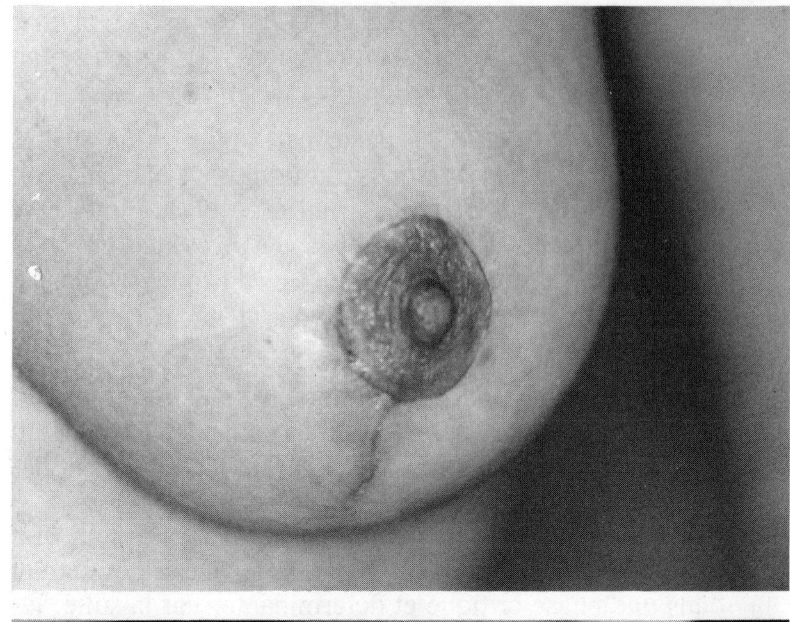

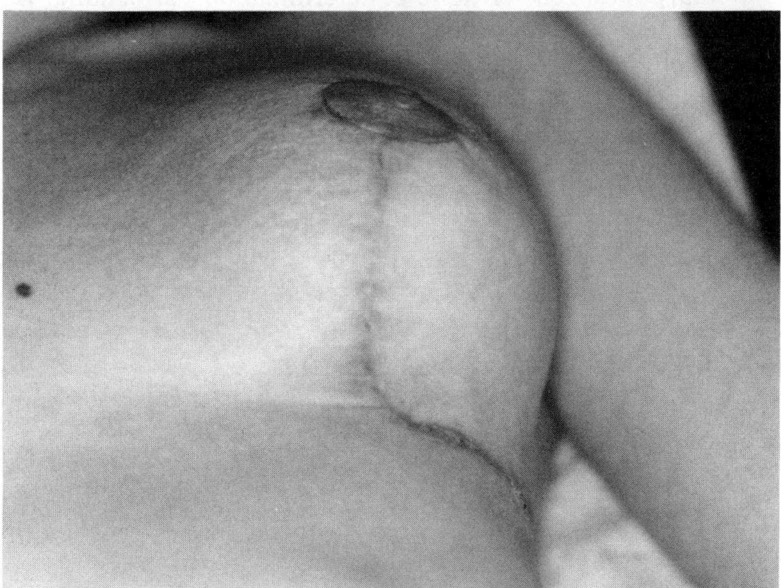

Figure 52 Dix jours plus tard. Cicatrices après réduction mammaire.

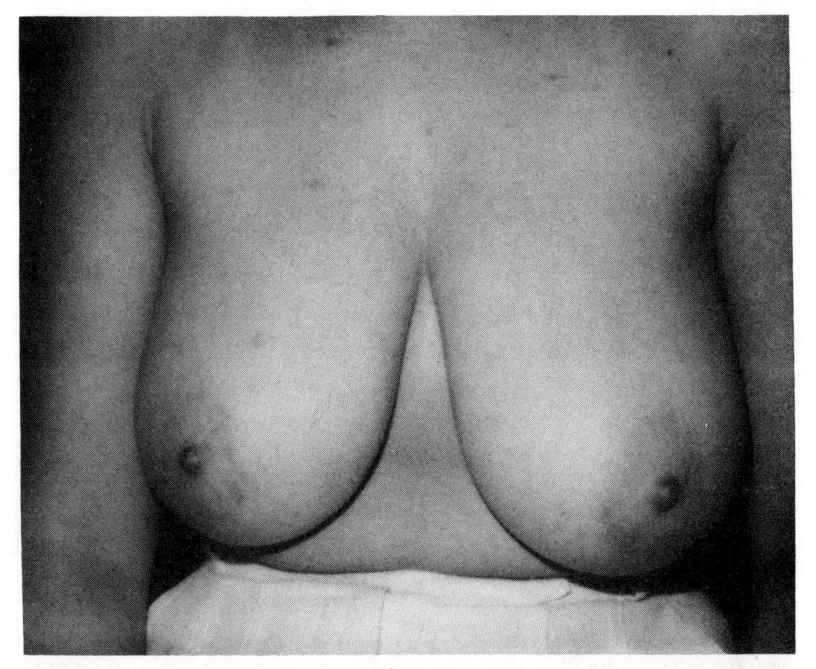

Avant

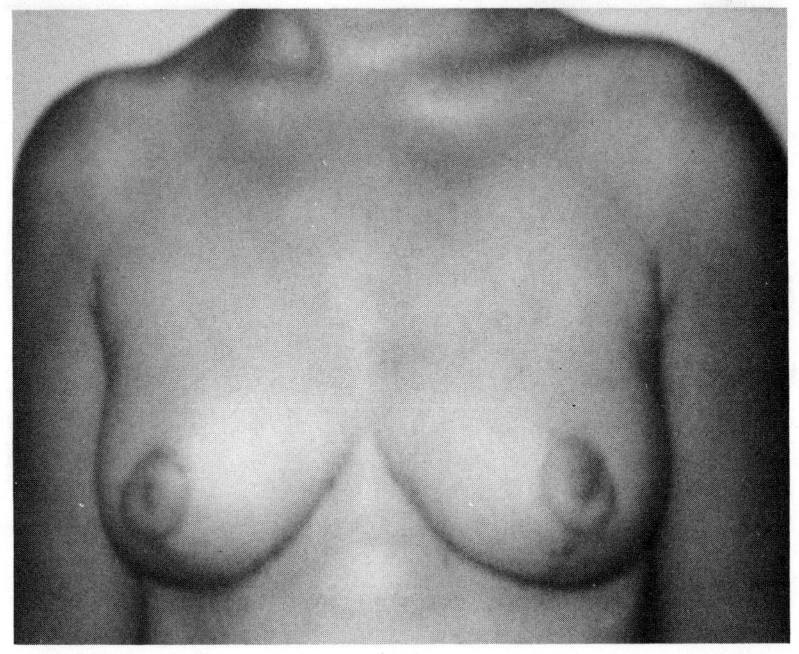

Après

Figure 53 Réduction mammaire.

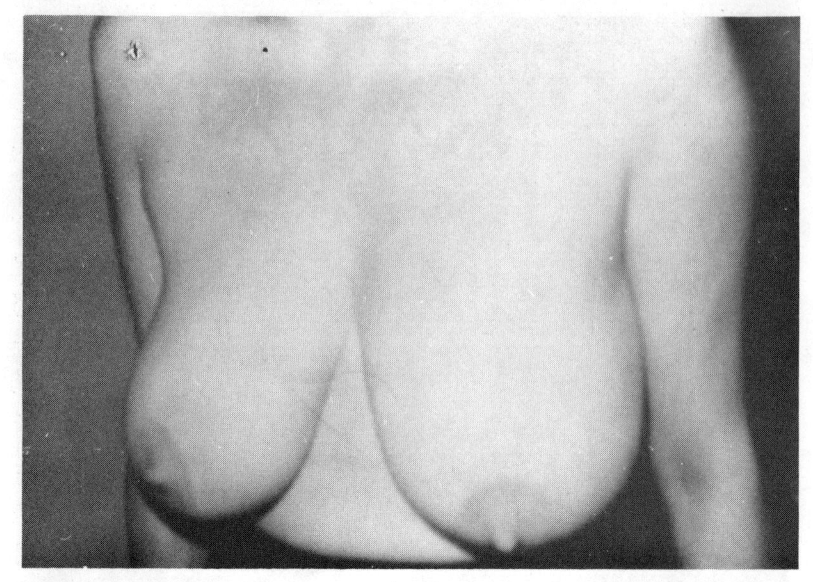

Avant

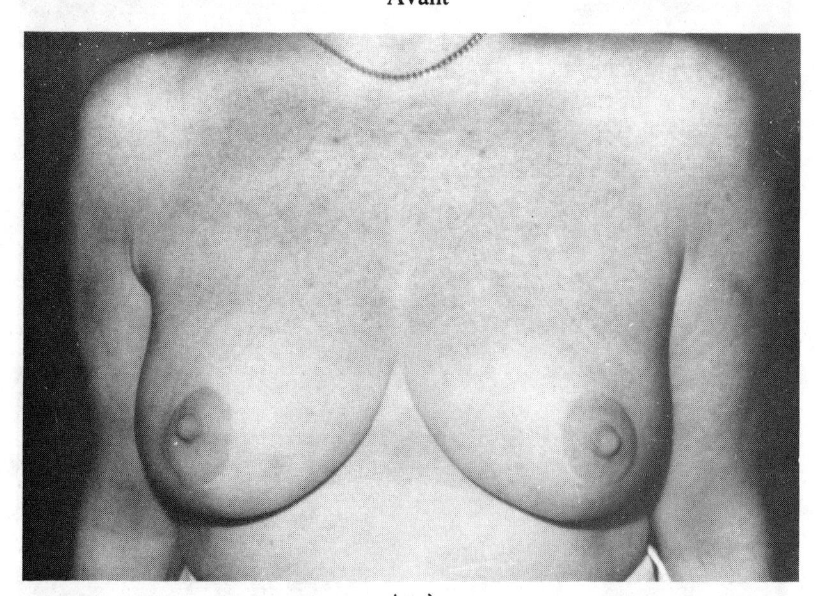

Après

Figure 54 Réduction mammaire.

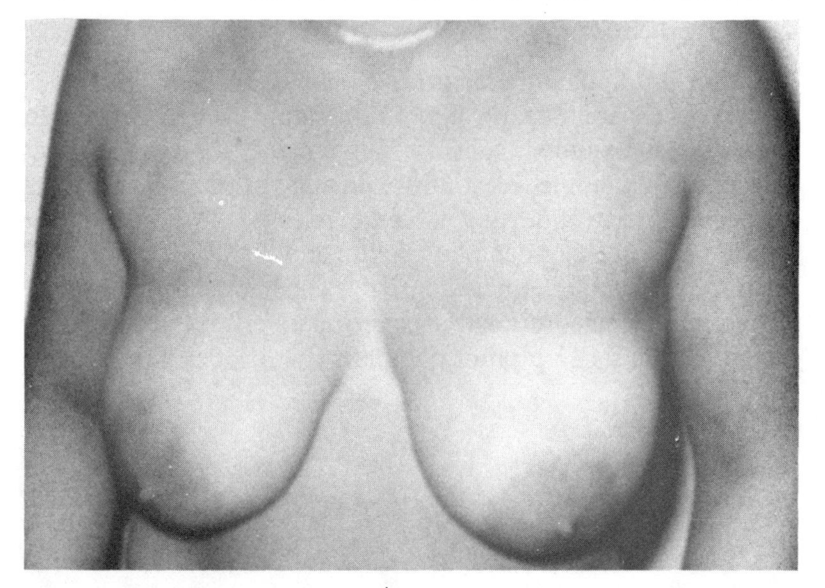

Avant

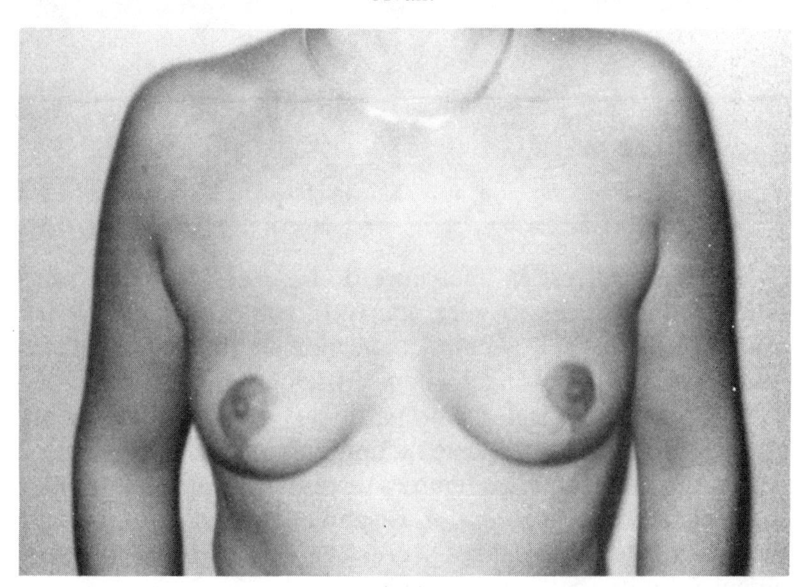

Après

Figure 55 Réduction mammaire.

Les complications et dangers

Suivant la quantité de graisse enlevée, la coagulation des veines ou des artères faite durant l'opération peut être perturbée pour les heures qui suivent. Le saignement, s'il reprend, peut causer un hématome, c'est-à-dire un amas sanguin coincé sous la peau. Il provoque une violente poussée de douleurs qui accompagnent l'augmentation subite du volume du sein. L'hématome est habituellement causé par une hausse de la pression sanguine, une absorption d'aspirine ou un effort intense. Cette complication ne se produit que dans 2 à 3% des cas.

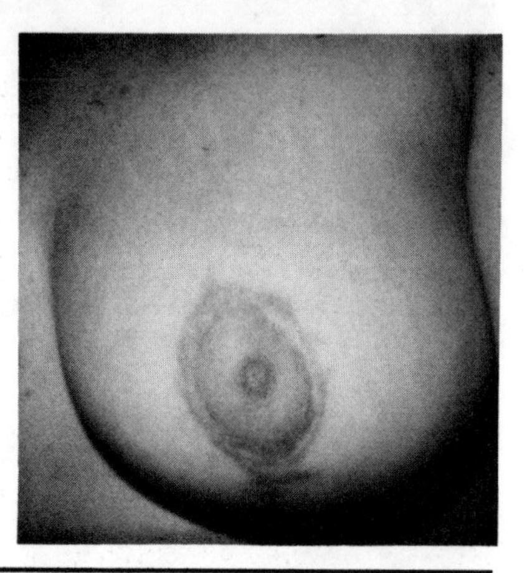

Figure 56 Cicatrice vicieuse.

Parce qu'il est la nourriture de base des tissus, le sang doit absolument les irriguer pour qu'ils restent sains. Or les artères obstruées et les veines congestionnées occasionnent une mort tissulaire que l'on appelle nécrose cutanée ou graisseuse. Cette complication est due en partie aux grands décollements de peau pratiqués pour la réduction mammaire. La cigarette, particulièrement chez les femmes de plus de 35 ans, peut également causer cette nécrose. Les nouvelles techniques chirurgicales et les connaissances accrues en vascularisation du sein aident à limiter cette complication.

Les sutures qui referment les grandes incisions pratiquées pour la réduction mammaire peuvent aussi s'ouvrir d'un ou deux centimètres dans les jours suivant l'intervention. Dans la majorité des cas, ce n'est que pour rejeter des fils hors de l'organisme. Dans des cas beaucoup plus rares, l'ouverture permet un écoulement de graisse liquéfiée. Bien que ce soit désagréable, cette complication est sans conséquence et la guérison se poursuit normalement.

La perte de sensibilité est une autre des complications possibles ; elle est très brève et se présente dans le cas de déplacement puis de relocalisation du mamelon et de l'aréole au bloc mammaire central. Limitée à l'aréole et au mamelon, cette perte de sensibilité peut se prolonger jusqu'à 12 mois.

LA CORRECTION DE L'ASYMÉTRIE : L'AUGMENTATION OU LA RÉDUCTION

Dans les cas de seins de volume différent ou visiblement mal situés, on peut pratiquer l'augmentation mammaire d'un sein ou la réduction de l'autre. Dans la plupart des cas, cependant, le chirurgien préfère retoucher les deux seins. Il utilise alors l'une ou l'autre de ces méthodes, selon la correction à apporter pour rééquilibrer le buste. On peut consulter à ce sujet la partie traitant de l'augmentation et de la réduction mammaires (p. 85 et p. 97).

LA CORRECTION DE LA PTOSE : LE REDRAPAGE

On le comprendra facilement, les seins trop gros sont presque toujours des seins tombants. On en fait donc la correction en même temps que la réduction mammaire. Mais, comme on l'a spécifié au début de ce chapitre, la chute des seins peut avoir une autre cause (exemple : un petit sein affaissé après une grossesse). En pareil cas, on procède à un redrapage de la peau.

Pour obtenir des informations appropriées sur le redrapage, on voudra bien consulter la section concernant la réduction mammaire. La technique opératoire est, en effet, fort semblable à celle-ci ; mais, dans le cas qui nous occupe, on ne diminue aucunement le volume de la glande mammaire. On ne fait que la remonter et la repousser vers le haut, dans une position normale. On referme ensuite la plaie après avoir enlevé l'excédent de peau.

Dans les cas de glande mammaire trop petite, il faut, en plus du redrapage, ajouter une prothèse. Cette intervention s'assimile donc à la fois aux techniques d'augmentation et de réduction mammaires décrites dans les pages précédentes.

LA RECONSTRUCTION DU SEIN APRÈS ABLATION (mastectomie)

La femme amputée d'un sein pour cause de tumeur cancéreuse aspire, tôt ou tard, à être délivrée de la prothèse externe qu'elle doit porter et qui lui impose des limites fonctionnelles.

La récente évolution rapide des techniques permet d'intervenir efficacement dans ce type de chirurgie réparatrice, et d'effectuer une reconstruction partielle ou totale du sein.

L'image du corps, perturbée par l'absence d'un sein, atteint habituellement la femme jusqu'au plus profond d'elle-même. On pourrait croire que le fait de remplacer la prothèse par un monticule représentant un sein comble ses désirs ; il n'en est rien. Ce sein reconstruit est toujours comparé au sein intact. La patiente va même jusqu'à vouloir obtenir une symétrie qui n'existait pas auparavant, tant dans la forme et le volume que dans la souplesse. Plus encore, elle s'étonne de ne pas retrouver dans le mamelon reconstruit autant de sensibilité que dans le mamelon sain.

C'est donc dire que la chirurgie de reconstruction du sein se doit de répondre à de multiples exigences qui dépassent les simples besoins fonctionnel ou esthétique.

Malheureusement, même si le chirurgien considère le résultat excellent, le sein reconstruit ne sera jamais une copie fidèle de ce qu'il était à l'origine.

Quand ?

La reconstruction du sein peut s'effectuer à divers moments. Le type de tumeur, la connaissance exacte de son étendue, de même que la volonté et la détermination de la patiente, constituent les principaux facteurs de décision. On peut même pratiquer la reconstruction lors de la chirurgie d'amputation, si la tumeur est bien identifiée et qu'on connaît son étendue.

Toutefois, l'ablation d'un sein étant un traumatisme assez important, on préfère, dans la majorité des cas, attendre un certain temps avant de procéder à la reconstruction. Il faut habituellement 10 à 12 mois pour obtenir une peau souple et une cicatrice libre de toute induration. Ce laps de temps permet d'évaluer les suites de la maladie et de vérifier le processus de guérison.

On consulte toujours le cancérologue avant de procéder à la reconstruction. Il informe et réconforte la patiente, notamment sur les dangers de récidive de la maladie, dangers totalement indépendants de la reconstruction.

Les problèmes

La reconstruction est adaptée à la gravité de l'ablation chirurgicale. Une petite tumeur peut être extirpée et le sein traité par radiothérapie sans qu'aucune reconstruction ne soit nécessaire. Dans le cas d'une réduction importante du sein, il faut utiliser une prothèse pour corriger l'asymétrie (voir augmentation mammaire, p. 85).

Une tumeur plus importante exige une mastectomie totale, l'ablation complète du sein.

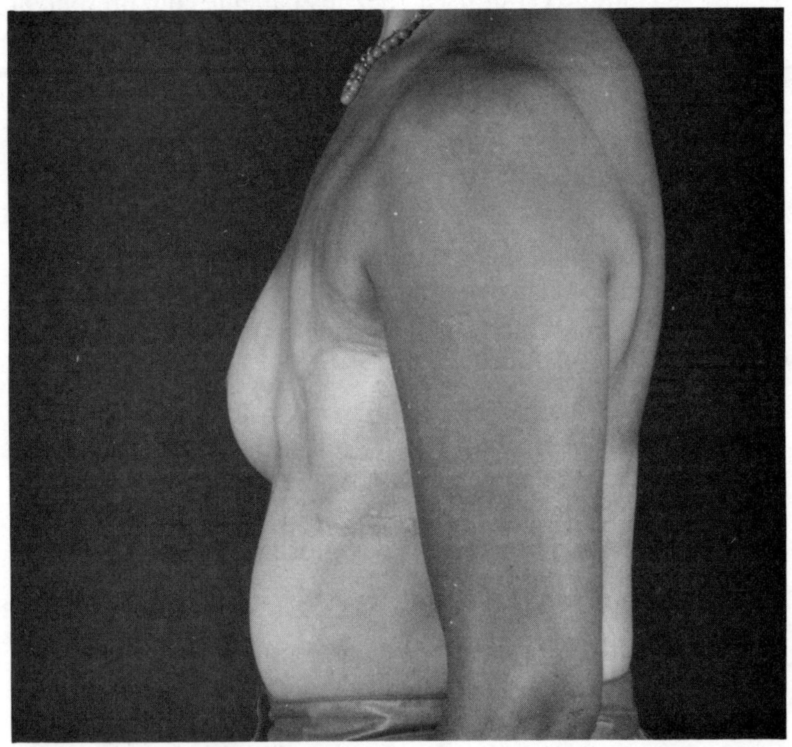

Figure 57 État après mastectomie.

La correction sur le sein

La reconstruction varie selon la quantité et la qualité des tissus restants. Dans le cas bien précis où la peau, le muscle et le tissu graisseux sont suffisants et de bonne qualité, on peut reconstruire immédiatement le sein, en insérant une prothèse mammaire ou en plaçant une prothèse gonflable qui servira à étirer la peau et à agrandir une cavité. Par la suite, une prothèse définitive sera mise en place.

Lorsque la quantité de peau, ou sa qualité médiocre, empêche l'insertion d'une prothèse, on apporte des tissus de meilleure qualité. Les moyens utilisés sont :

a) le transfert de la peau du dos et du muscle grand dorsal. Ce muscle, plus ou moins utile, est déplacé sans que cela nuise aux mouvements de l'épaule.

b) le transfert de la peau du bas de l'abdomen. Cette technique est utilisée chez les patientes qui présentent un surplus de peau à ce niveau, à la condition cependant que cette peau n'ait jamais été incisée.

Sur l'aréole et le mamelon

La reconstruction de l'aréole et du mamelon est chose facile depuis que l'on a constaté que la peau prise dans l'aine, et greffée, présentait une coloration assez semblable à celle de l'aréole normale. Dans certains cas, l'aréole très large du sein intact peut être diminuée ; son pourtour retiré sert alors à refaçonner l'aréole manquante.

Le mamelon, par ailleurs, se reconstruit plus difficilement. On obtient un bon résultat en utilisant une partie de l'autre mamelon, quand cela est possible ; ceci n'affecte aucunement le sein normal. On peut enfin avoir recours à des lambeaux locaux de tissu ou à des greffes.

Avant l'opération

L'évaluation du cancérologue terminée, la patiente est admise à l'hôpital où l'on effectue les examens de routine et les photographies. Si le type d'opération se décide lors des visites préopératoires, sa planification définitive se fait véritablement dans les heures qui précèdent l'intervention.

Les patientes ressentent, bien sûr, une certaine appréhension, mais elles se soumettent généralement à l'opération avec beaucoup de détermination.

Pendant l'opération

Deux interventions sont habituellement nécessaires. Elles durent environ 1h30 chacune, et se font sous anesthésie générale.

1re intervention : la reconstruction du sein

Quand la bonne qualité de la peau le permet, on procède à la reconstruction du sein amputé en insérant une prothèse définitive, ou encore une prothèse gonflable.

Cette intervention peut se faire au moment de la mastectomie, c'est-à-dire lors de l'ablation du sein. Le chirurgien oncologue ayant terminé son travail, le chirurgien plasticien prend la relève et place une prothèse sous le muscle du thorax (muscle grand pectoral).

Dans le cas d'une reconstruction plus tardive, on pratique une incision dans le tracé même de la cicatrice laissée par l'ablation. On crée une cavité sous le muscle grand pectoral pour y introduire la prothèse.

Lorsque l'on veut étirer la peau pour lui donner l'ampleur nécessaire à l'insertion d'une prothèse définitive, on introduit, de la même façon que précédemment, une prothèse gonflable (extenseur de peau). Le gonflement de la prothèse se fait ultérieurement ; il s'échelonne sur une période de 6 à 8 semaines après laquelle la prothèse définitive est installée.

S'il n'y a pas assez de peau, il faut procéder autrement. Une incision oblique ou verticale de 12 à 18cm est pratiquée dans le dos. On retire une partie du muscle grand dorsal, ainsi que la peau qui y adhère, puis on transfère le tout au sein pour recouvrir une prothèse de volume variable.

Lorsqu'on croit pouvoir se passer de prothèse, on utilise la peau de l'abdomen plutôt que celle du dos ; cela dans la mesure où elle est suffisante pour reconstruire le sein. On la transfère avec le muscle abdominal sous-jacent.

L'intervention se compare alors à celle de la lipectomie abdominale décrite dans le chapitre suivant. On referme les plaies de l'abdomen, comme celles du dos et du sein, avec des agrafes et des points de suture sous la peau. Un drain est installé dans chacune des cavités.

2ᵉ intervention : la reconstruction de l'aréole et du mamelon

La reconstruction d'un sein amputé vise la symétrie de volume et de forme avec le sein intact, dans la mesure où celui-ci satisfait la patiente. Très fréquemment, ce sein a lui aussi besoin d'une correction (une diminution, une augmentation ou un redrapage). On procède à cette correction au moment où on effectue la greffe de mamelon sur le sein reconstruit.

Une greffe de peau prise dans l'aine ou à même le sein intact — dans le cas où on le corrige — sert à former la nouvelle aréole. On la suture bien en place, selon le tracé fait au préalable. On effectue ensuite une seconde greffe pour façonner le mamelon. Le pansement joue un rôle important et, pour cette raison, on le rattache à la peau à l'aide de fils de suture et d'agrafes. Un second pansement entoure le thorax.

Après l'opération

La douleur se fait particulièrement intense dans la région du dos, dans le cas de transfert du muscle dorsal ; de plus, elle limite le fonctionnement normal de la patiente lorsque la peau et le muscle de l'abdomen ont été utilisés. Dans ce dernier cas, l'opérée doit rester alitée 24 heures. Les calmants atténuent grandement la douleur. Dès le lendemain de l'intervention, on remplace le pansement entourant le thorax ; c'est alors que la vue du sein reconstruit, malgré les contraintes et le gonflement, dissipe toute anxiété. Ce moment tant attendu est habituellement un moment de très grande joie ; il signifie la fin d'une mutilation si durement ressentie.

Au bout de 3 ou 4 jours, le corps retrouve sa liberté de mouvement et le bras sort graduellement de son engourdissement. On retire les drains et la patiente quitte l'hôpital.

La première visite postopératoire chez le chirurgien se fait 10 jours plus tard. Les points de suture sont enlevés ainsi que le pansement de l'aréole, s'il y a lieu. À cette étape, on recommande à la femme de porter un soutien-gorge.

La guérison

L'apparition d'ecchymoses, d'œdème et de liquide sous la peau est une réaction postopératoire normale. Dans le cas de transfert du muscle dorsal, il peut même devenir nécessaire, sans qu'il s'agisse de complications, d'effectuer une ponction qui évacue l'accumulation de liquide.

La première semaine étant la plus difficile à passer, les suivantes se déroulent avec plus de sérénité. La convalescence s'échelonne sur 2 mois, laps de temps tout à fait justifié et nécessaire. La cicatrisation, pour sa part, s'étend sur une période de 6 à 12 mois.

Il faut bien comprendre l'évolution du processus de guérison pour l'accepter. Le sein d'abord gonflé, ferme et surélevé se modifiera peu à peu au fil des mois. Il prendra un aspect plus naturel et la peau s'étirera quelque peu. De leur côté, le mamelon et l'aréole prendront plusieurs mois à se définir. La couche superficielle de la greffe pèlera avant de prendre une coloration plus foncée.

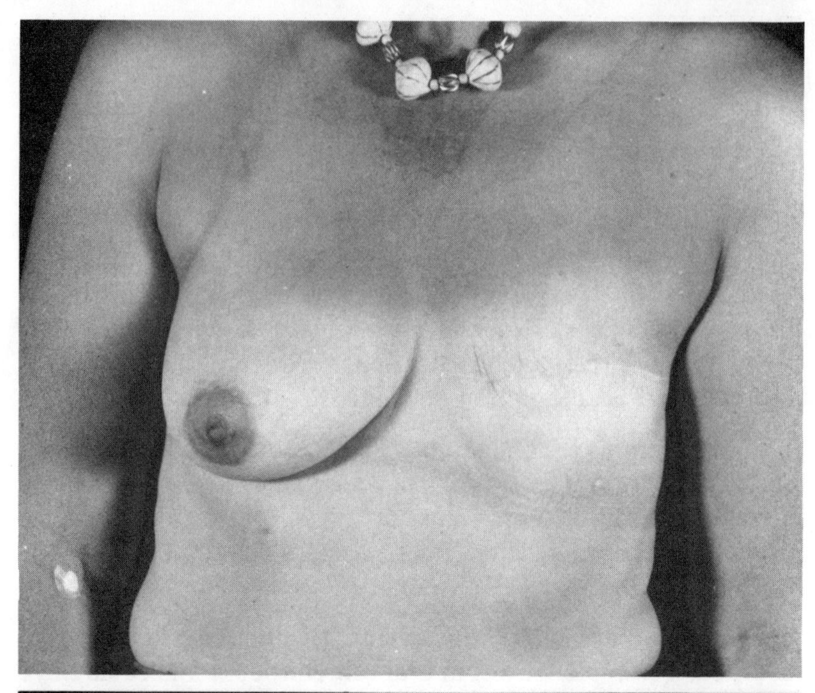

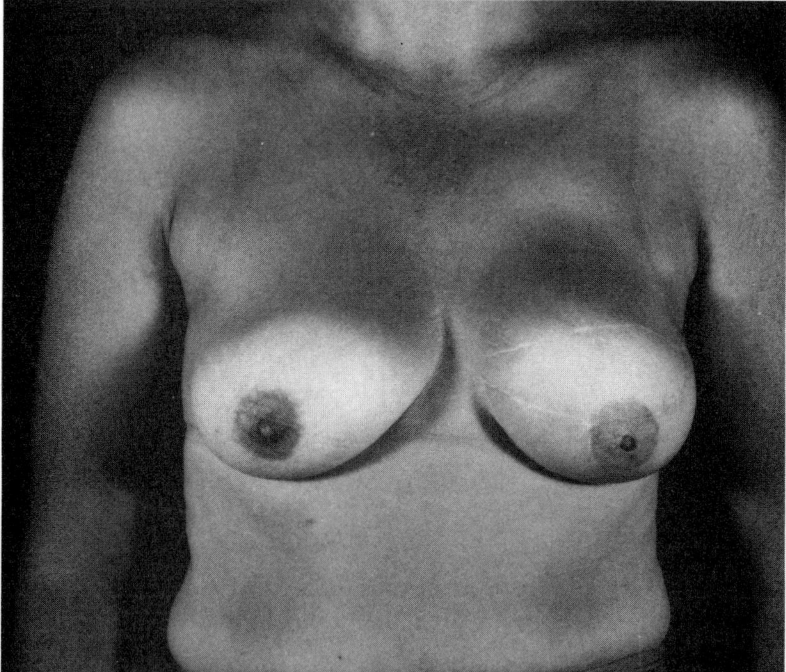

Figure 58 Reconstruction du sein.

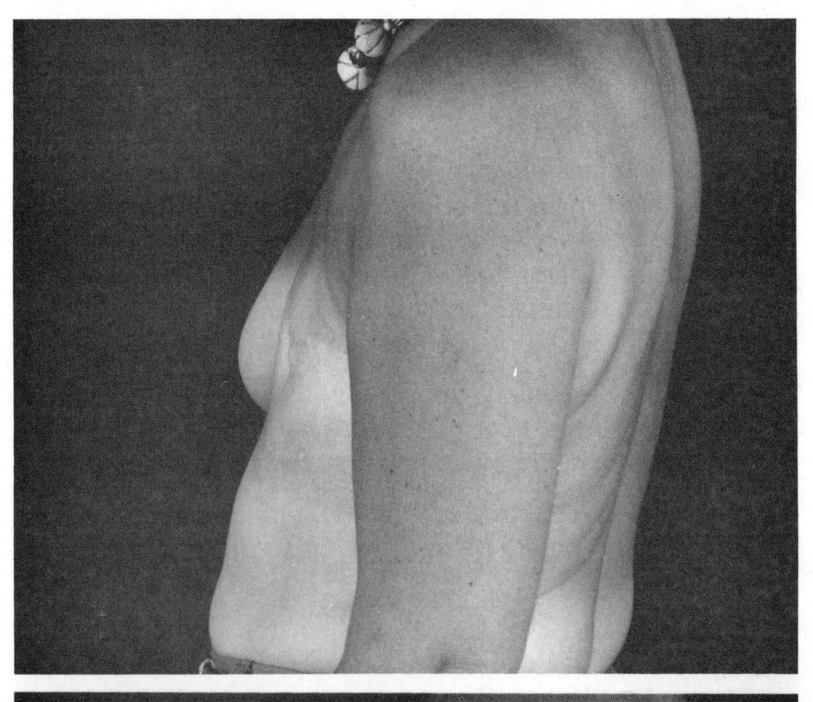

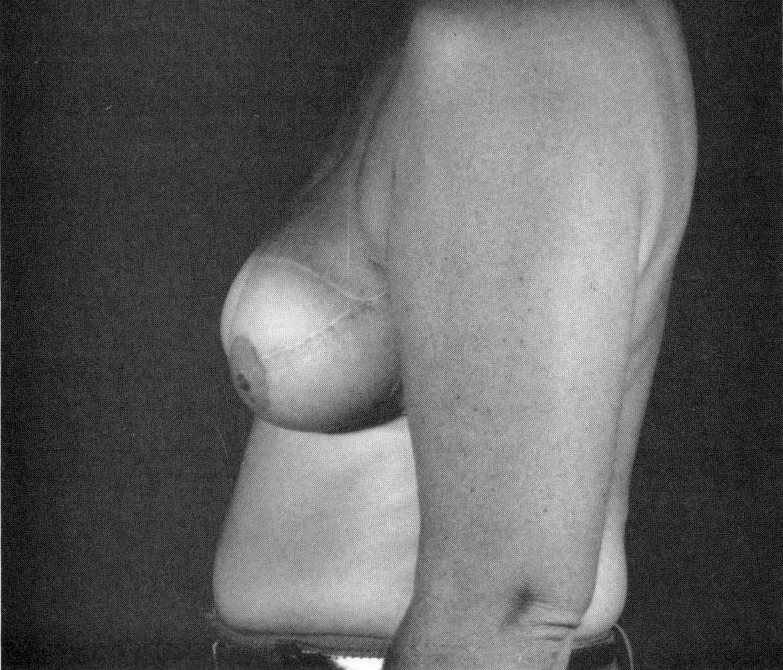

Figure 59 Reconstruction du sein.

Les complications et dangers

On ne déplore que de très rares cas d'hématomes au niveau du sein. Il suffit de procéder à leur évacuation.

Bien qu'elle soit tout aussi rare que l'hématome, une nécrose peut se produire au niveau du lambeau utilisé pour reconstruire le sein. En pareil cas, la guérison se fait beaucoup plus lentement. Une retouche peut s'avérer nécessaire. Cette complication affecte surtout les personnes traitées par radiothérapie ou celles qui ont une mauvaise circulation sanguine.

À cause des tensions importantes exercées sur la ligne de suture, une ouverture de la plaie peut aussi retarder la guérison. Les cicatrices restent rouges plus longtemps et s'élargissent.

L'infection autour de la prothèse, rare également, nécessite un retrait de la prothèse que l'on replace lorsque l'infection s'est dissipée.

Les progrès actuels

C'est dans l'utilisation du muscle grand dorsal que l'on a récemment progressé. En outre, comme dans les cas d'augmentation mammaire, l'arrivée sur le marché de la nouvelle prothèse recouverte de polyuréthane permet de combattre avec efficacité la formation de capsule fibreuse.

CHAPITRE 4

L'ABDOMEN

L'abdomen, ou le ventre, est une partie du corps chargée de signification. Le ventre, peut-on dire, a un sexe ; on distingue sans difficulté celui de l'homme et celui de la femme. On associe à sa description toutes sortes de qualificatifs : il est doux, musclé, rond, plat, etc.

Dans la mythologie, le ventre a également ses symboles. Selon les civilisations, la dépression — le creux qui forme l'ombilic — est associée à l'œil, au centre du monde ou encore au centre de la naissance.

Sur un plan anatomique, l'abdomen idéal possède des muscles fermes recouverts d'un tissu graisseux modéré ; l'ombilic est retenu en profondeur. On perçoit la musculature sans pourtant qu'elle soit trop visible.

Le ventre est aussi un contenant. Chez la femme, il représente le lieu de la maternité avec toute la beauté, mais aussi avec tous les inconvénients qui l'accompagnent. L'élasticité de la peau, sa capacité d'extension puis de rétraction, relève certes d'un étonnant phénomène de la nature. Hélas, ce phénomène, pour naturel qu'il soit, laisse souvent des marques et des stries ; ce sont les vergetures. Elles brisent le ventre et lui font perdre sa jeunesse.

En tant que reflet de notre alimentation, le ventre trahit les excès et la malnutrition. Rondelet et globuleux, il illustre l'abondance, en même temps qu'il témoigne de la moindre tendance à l'obésité ; elle s'y fixe quelquefois assez précocement.

Le ventre, enfin, contient et enveloppe les entrailles. C'est le site privilégié de multiples chirurgies. De tous les endroits cachés du corps, il demeure le plus vulnérable, y compris sur un plan esthétique.

Dans l'anatomie du corps, le ventre délimite le début du bassin. Ses contours se perdent dans la courbe de la hanche, qui elle-même se prolonge jusqu'à la naissance de la cuisse. L'ensemble de cette structure joue un rôle important dans l'équilibre et l'esthétique du corps. Cela explique les problèmes vestimentaires que rencontrent les personnes affligées d'une disgrâce à ce niveau, la coupe des vêtements répondant à des normes dictées par un échantillonnage moyen de la population.

Chacune des déformations ou disgrâces de cette partie du corps peut entraîner à la fois des problèmes fonctionnels et esthétiques qui, très souvent, se corrigent simultanément par une intervention chirurgicale.

Les problèmes

Les problèmes concernent la peau, les tissus graisseux et les muscles. Les problèmes de la peau surviennent lors d'une prise de poids rapide, particulièrement à l'adolescence et pendant les grossesses. Le bris des fibres de collagène laisse ces stries disgracieuses que sont les vergetures. Dans d'autres cas, il se produit dans la région abdominale un plissement de la peau que l'on nomme « petit dermachalasis ».

La graisse, de son côté, peut s'accumuler dans la partie haute du ventre pour former le « pneu », ou encore dans la partie sous-ombilicale. Elle déséquilibre la silhouette, particulièrement le profil. Il est parfois difficile de retirer ces tissus graisseux sans risquer de sectionner l'apport vasculaire nourricier de la peau.

Le problème relié aux muscles résulte du relâchement de la paroi abdominale. Lors d'une grossesse, par exemple, la pression constante exercée sur le ventre amoindrit la force de tension des muscles. Leur écartement peut aussi laisser sur la ligne médiane un espace relâché, une sorte de pseudo-hernie appelée diastasis.

La toux des fumeurs, habituellement très tenace, constitue un autre facteur de distension musculaire du ventre qui conduit, avec le temps, à un déséquilibre de la silhouette. De façon générale, ces problèmes peuvent être corrigés à tout âge par une chirurgie appropriée.

La correction

Selon la gravité du problème, on procède soit par lipoaspiration, soit par lipectomie. Dans le premier cas, seule la graisse est extirpée, tandis que dans le second on enlève en même temps le surplus de peau et de graisse, depuis l'ombilic jusqu'au pubis. Chez les patients et patientes de moins de 45 ans, on peut également resserrer la sangle abdominale en ramenant et en attachant les muscles au centre de l'abdomen.

Avant l'opération

Un examen attentif et certaines constatations permettent de prévoir les résultats à venir. En tout premier lieu, la peau doit être assez élastique et les cicatrices antérieures bien repérées. Les incisions hautes, obliques ou transverses peuvent, en effet, engendrer quelques contraintes, surtout si elles ont déjà sectionné des vaisseaux essentiels au soulèvement et au transfert de la peau.

L'amaigrissement, comme d'ailleurs les exercices musculaires (redressements assis), constituent une préparation obligatoire à cette chirurgie. La suppression de la cigarette, cela va de soi, s'impose ; l'usage du tabac occasionne de fréquentes complications et met en péril le succès de l'intervention. Quelques jours avant l'opération, on procède aux photographies et aux examens préopératoires usuels.

Pendant l'opération

1. *La lipectomie*

Il importe de souligner, avant toute chose, que cette chirurgie nécessite une hospitalisation, sauf dans les cas de simple retrait du surplus de peau (petit dermachalasis). On administre normalement une anesthésie générale, bien que dans certains cas, une épidurale puisse suffire.

L'incision la plus généralement pratiquée est en forme de W. Elle débute dans le pli de l'aine, passe au-dessus du pubis et traverse l'abdomen d'une hanche à l'autre. Le croissant de peau situé entre cette incision et l'ombilic est enlevé. Par la suite, on replace l'ombilic. Si les muscles sont écartés (dias-

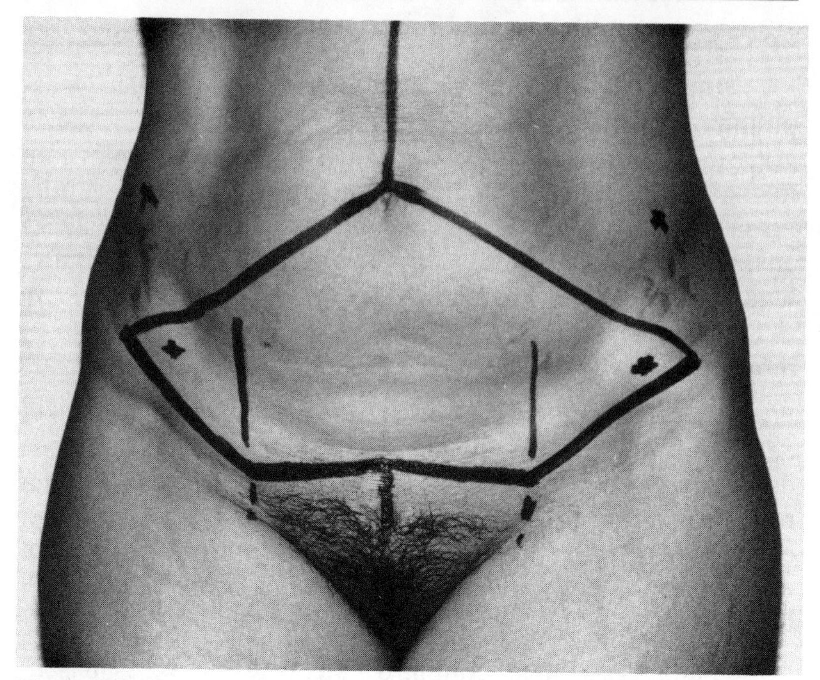

Figure 60 Dessin préopératoire.

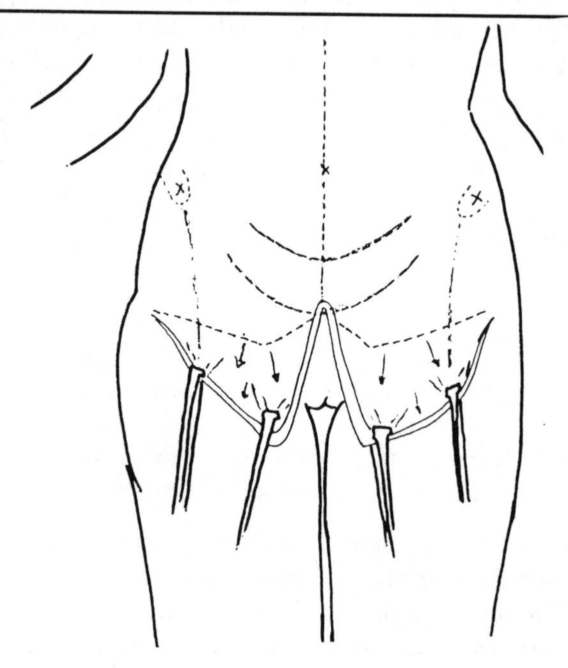

Figure 61 Retrait de la peau comprise entre l'ombilic et le pubis.

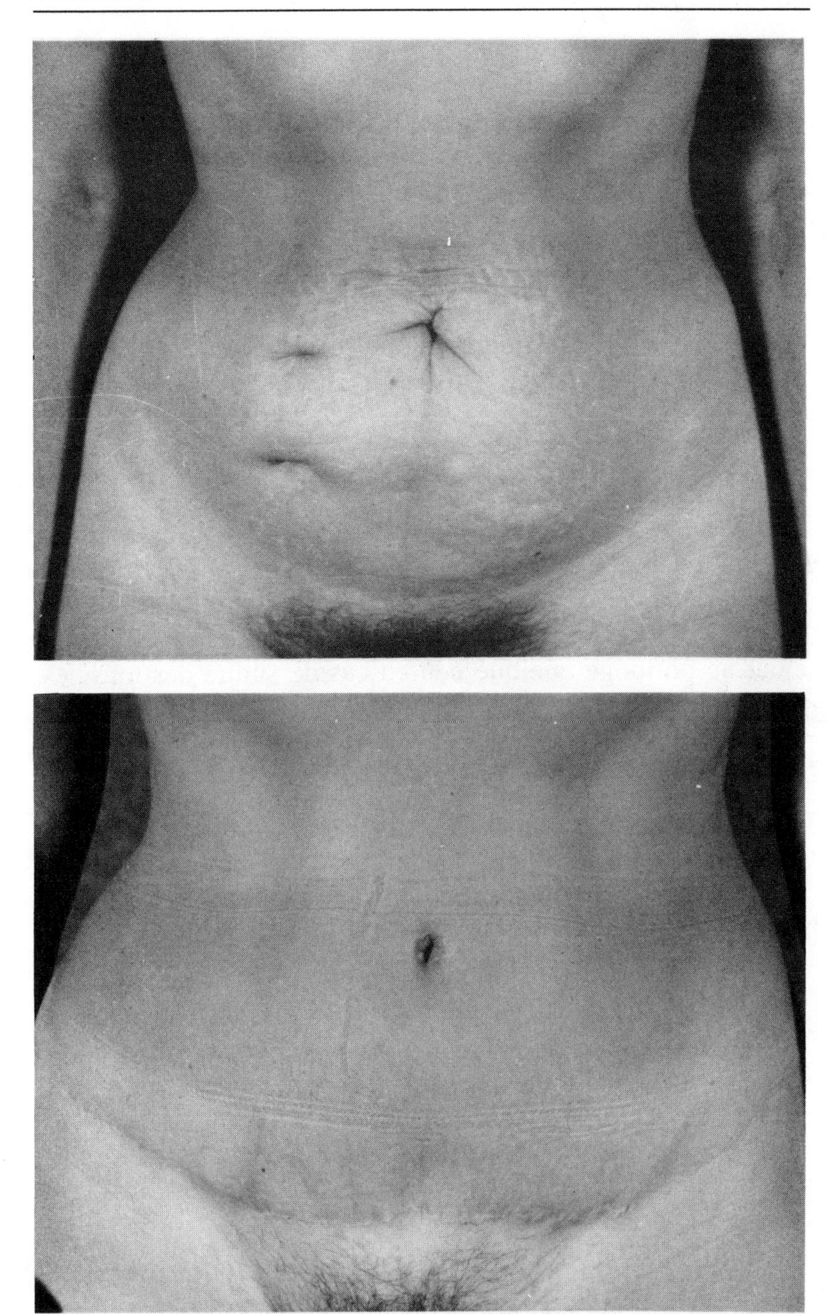

Figure 62 Cicatrice après lipectomie.

tasis), on les rapproche vers le centre par des sutures. La plaie est refermée par des points sous-cutanés et des drains sont laissés en place. Un pansement compressif couvre tout l'abdomen. Le retour en salle de réveil se fait en position fléchie, les jambes élevées, afin d'atténuer la tension exercée par la ligne de suture.

2. *La lipoaspiration*

Cette seconde technique de correction de l'abdomen est décrite de façon détaillée dans la partie traitant des hanches et des cuisses (voir p. 126).

Après l'opération

On administre des calmants à l'opéré, mais la douleur demeure encore perceptible le lendemain de l'opération ; elle oblige à marcher en position fléchie. Au bout de deux jours, les drains sont habituellement retirés et on quitte l'hôpital. Le séjour se prolonge quelque peu en cas de suture des muscles ou de douleur persistante.

La guérison

Le gonflement des tissus causé par l'œdème, pourtant normal, inquiète les opérés. L'enflure entraîne une augmentation du tour de taille qui rend difficile le port des vêtements habituels. Ce gonflement disparaît à 80% dans les 15 jours suivant l'opération. Dans quelques cas, l'œdème subsiste pendant 3 mois.

Après la diminution du gonflement, l'insensibilité de la peau devient, à son tour, une source d'inquiétude. Elle est sans gravité et s'estompe graduellement, au fil des mois. La cicatrice, de son côté, s'étend d'une hanche à l'autre et forme, pendant 6 mois, une ligne rougeâtre susceptible de s'élargir si la personne prend du poids.

La première semaine écoulée, il faut autant que possible se tenir droit et adopter une démarche normale. Le port d'une gaine est recommandé ; en plus d'assurer un plus grand confort, la gaine contribue à diminuer l'œdème. On doit, pendant les 2 mois qui suivent l'intervention, s'abstenir de tout exercice physique violent.

Les complications et dangers

La complication immédiate demeure l'hématome. Il se manifeste souvent dans les 24 premières heures, et provient de saignements diffus, particulièrement chez les gens obèses.

Une seconde complication, la nécrose graisseuse, se traduit par un écoulement jaunâtre à partir de la plaie. Cet écoulement sans conséquence néfaste est simplement désagréable à supporter ; il survient surtout chez les personnes obèses et les fumeurs.

L'infection constitue une surcomplication du fait qu'elle s'installe habituellement dans l'hématome ou la nécrose graisseuse. Elle cause des douleurs et des rougeurs et doit, sur-le-champ, être évaluée par le chirurgien.

La nécrose cutanée se présente surtout chez les fumeurs ou les personnes qui ont déjà subi une chirurgie abdominale avec cicatrice transverse. Elle se localise en triangle sous l'ombilic et reste habituellement superficielle.

Ces diverses complications peuvent aussi provoquer un élargissement des cicatrices ; ceci se corrige facilement lors d'une intervention ultérieure.

Les progrès actuels

La lipoaspiration permet maintenant une correction plus aisée des disgrâces de l'abdomen. Chez les personnes à la peau tendue et ferme, l'aspiration des amas de graisse devient une intervention facile qui donne d'excellents résultats. Dans certains cas, on l'utilise avantageusement pour compléter la lipectomie.

LES HANCHES ET LES CUISSES

Après les seins, les cuisses constituent un autre sujet de préoccupation, particulièrement chez les femmes de 18 à 40 ans. Dès que cette partie du corps ne correspond plus aux normes socialement reconnues et acceptées, la femme ne cesse de s'interroger. Ceci est encore plus vrai chez la femme sportive dont la tenue vestimentaire met en évidence les irrégularités des contours du bassin et des cuisses.

Ces irrégularités attaquent, néanmoins, différents types de femmes, et se manifestent tout autant chez une femme mince et jeune que chez une femme plus âgée. Dès l'âge de 20 ans, en effet, des dépôts graisseux peuvent adhérer aux cuisses pour former la « culotte de cheval ». Ainsi, au bout de quelques années, la jeune femme svelte se retrouve aux prises avec des hanches et un bassin élargis.

La source du problème n'est pas facile à identifier. Il faudrait pouvoir discerner ce qui relève à proprement parler du biologique, du stress ou de l'alimentation.

Jusqu'à ces tous derniers temps, il faut le dire, la chirurgie des hanches et des cuisses donnait des résultats décevants et des cicatrices souvent très apparentes. Seul le surplus de peau était enlevé après un régime amaigrissant. On ne pouvait retirer la graisse en raison des vagues de peau qui tapissaient, par la suite, la surface des cuisses.

L'avènement de la lipoaspiration (ou liposuccion) a modifié sensiblement la technique chirurgicale. Depuis longtemps, les chirurgiens attendaient cette innovation. Elle leur permet enfin de sculpter le tissu graisseux.

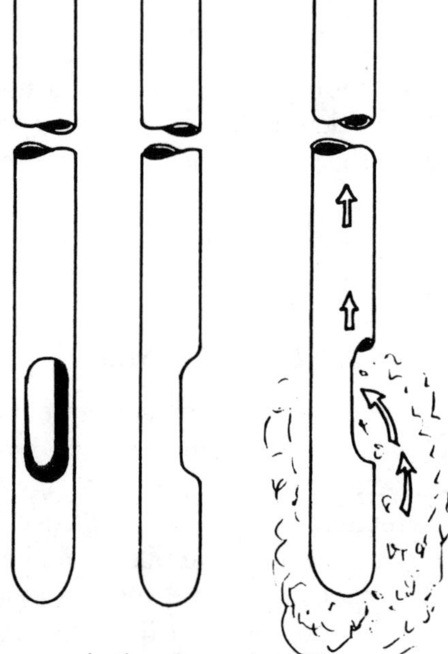

Figure 63 Canule pour aspiration des graisses.

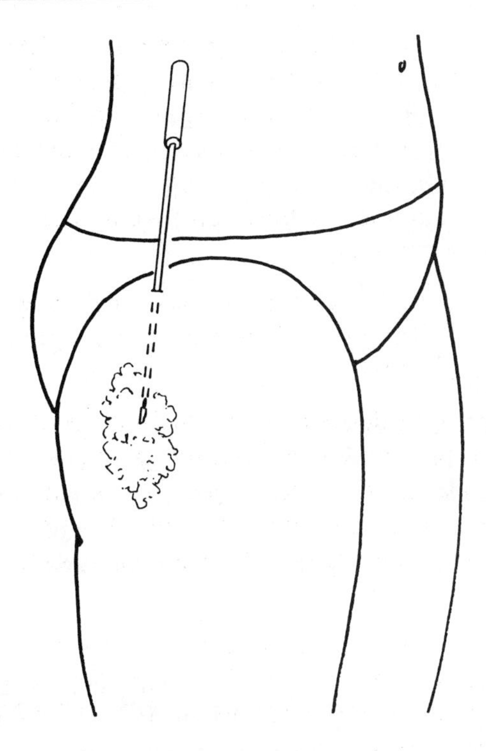

Figure 64 Aspiration des graisses.

C'est le professeur et chirurgien Ilouz qui a développé la lipoaspiration en utilisant une canule à pointe mousse. Cette technique permet d'aspirer les lobules de graisse logés sous la peau, tout en respectant les septums, ces attaches qui retiennent la peau en profondeur. Une fois la graisse extirpée, les attaches encore intactes empêchent la peau de se distendre et de former des vagues ou des replis.

Les problèmes

Les dépôts de graisse se logent en plusieurs endroits. Dans la partie supérieure du bassin, ils s'installent sur les hanches. Sur le côté des cuisses, ils forment la « culotte de cheval », aussi nommée difformité en « violon ». La fesse peut aussi perdre sa fermeté. Elle s'alourdit et le pli sous-fessier s'estompe. La face interne de la cuisse, lorsque la graisse s'y accumule, forme un repli et s'accole à l'autre cuisse. L'intérieur des genoux et même la cheville peuvent se déformer.

La cellulite

Ces dépôts de graisse deviennent le site privilégié de la rétention d'eau. Celle-ci engorge et gonfle la peau qui prend la texture d'une peau d'orange. C'est cette rétention d'eau que l'on appelle vulgairement cellulite ; elle affecte bon nombre de femmes et devient plus apparente lorsque la femme prend du poids. Moins fréquente chez l'homme, elle peut tout de même se manifester de façon assez visible dans la partie supérieure de l'abdomen.

Un régime sans sel et sans épices constitue, avant toute chirurgie, le traitement obligatoire de la rétention d'eau ; il aide à diminuer le volume des cellules graisseuses. Il faut en outre savoir que les anovulants et certains produits de consommation courante (le thé, le café, les eaux gazeuses et l'alcool entre autres) contribuent à amplifier le problème.

La correction

Deux types de chirurgie peuvent traiter les problèmes des hanches et des cuisses. En premier lieu, la lipoaspiration. Elle est indiquée dans les cas d'amas de graisse bien localisés, sous une peau ferme.

En second lieu, la lipectomie consiste à enlever le surplus de peau et de graisse par des incisions quasi circulaires sur le haut de la cuisse.

Avant l'opération

La chirurgie des hanches et des cuisses exige un régime amaigrissant et surtout une stabilisation du poids. Les patients et patientes doivent également se soumettre aux examens préopératoires habituels ainsi qu'aux photographies.

Pendant l'opération

1er type de chirurgie : la lipoaspiration

L'intervention se fait sous anesthésie générale ou épidurale. Afin de libérer les graisses et de faciliter leur aspiration, on infiltre une solution d'enzymes et d'eau distillée dans la région à opérer.

Une incision d'un centimètre de longueur dans le pli sous-fessier, ou encore sur le côté de la cuisse, suffit à introduire la canule qui aspire les amas de graisse de la « culotte de cheval » et des hanches. Si cela est nécessaire, on pratique une autre incision au niveau des genoux pour en réduire le volume. On pratique alors des tunnels, à l'aide de canules plus ou moins grosses dont la pointe mousse protège la grande majorité des vaisseaux. La graisse, normalement déposée en grappes, est aspirée par l'appareil à succion qui peut retirer de 500 à 1 500cm^3, selon le cas. Une gaine compressive, enfilée avant même la sortie de la salle d'opération, atténue les gonflements et la douleur.

Toutefois, cette chirurgie a certaines limites. On ne peut, en effet, retirer toute la graisse. Il faut en laisser une épaisseur suffisante pour empêcher la peau d'adhérer aux muscles, ce qui serait fort disgracieux.

Après l'opération

Une fatigue générale envahit la patiente immédiatement après l'intervention. C'est une réaction normale de l'organisme au déplacement de liquide (le plasma) vers la région opérée. Ce déplacement provoque des gonflements et des ecchymoses qui s'étendent, après quelques heures, à tout le site d'aspiration.

Pendant 48 heures, la marche et la position assise accentuent les douleurs. Le reste du temps, les malaises sont tolérables grâce à l'action compressive de la gaine qu'il faut porter pendant 6 semaines.

La première semaine écoulée, les patientes se sentent en pleine forme et reprennent leurs activités normales. Toutefois, en position assise, il convient de garder les jambes surélevées. De légers massages quotidiens aident à chasser le gonflement qui a pu persister.

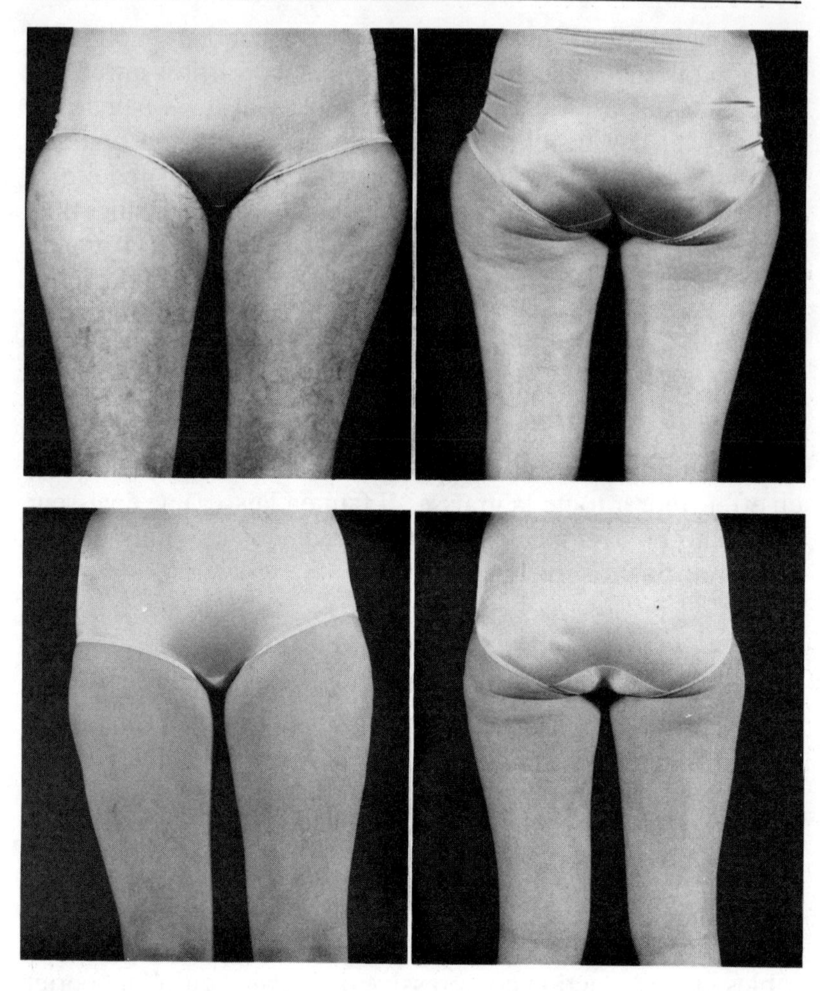

Figure 65 Lipoaspiration de la culotte de cheval. Cas limite.

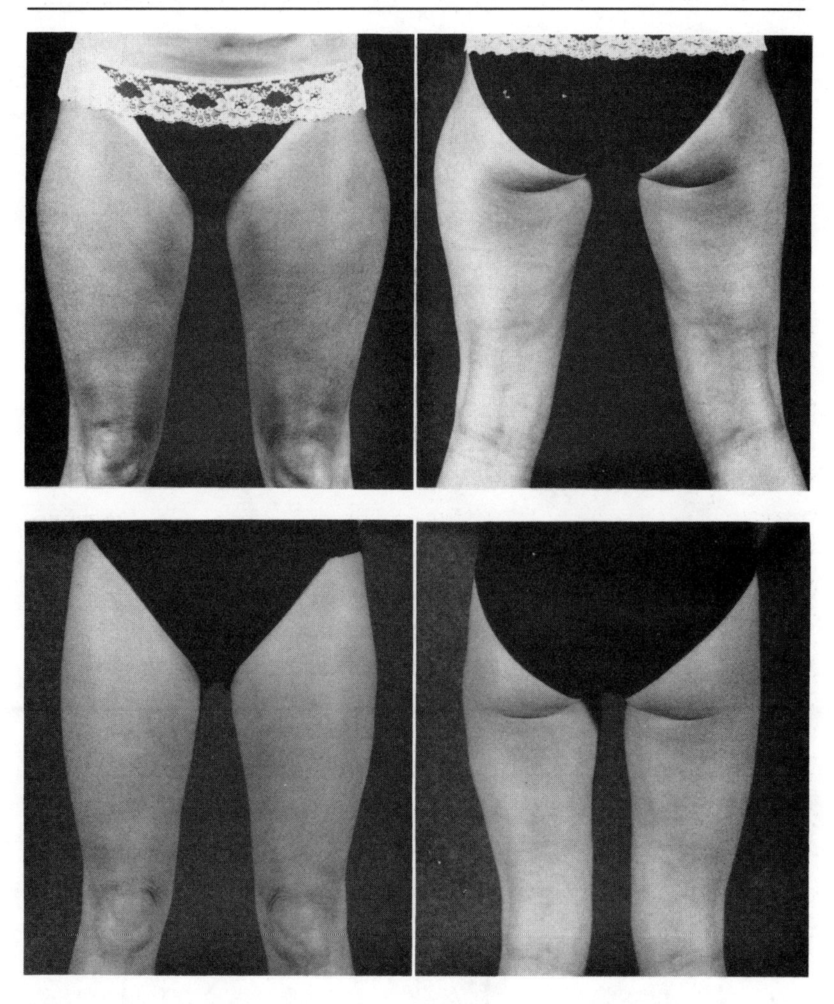

Figure 66 Lipoaspiration des cuisses sous une peau ferme.

Les complications et dangers

Les hématomes et l'infection sont au nombre des complications possibles, mais très rares. Les irrégularités sous la peau et les replis en forme de vagues constituent des désagréments plus fréquents. Ils disparaissent habituellement d'eux-mêmes, au bout de 6 à 8 mois.

Certaines irrégularités plus rebelles en forme de creux et de bosses nécessitent ensuite une aspiration localisée, ou encore une injection de tissu graisseux dans les petits creux.

S'il reste trop de peau après la lipoaspiration, on corrige le problème par une seconde intervention où l'on retire la peau : c'est la lipectomie.

2e type de chirurgie : la lipectomie

Dans certains cas, on doit compléter la lipoaspiration par une lipectomie, notamment après un amaigrissement ; dans ce cas, la fesse s'affaisse et un surplus de peau s'accumule sur la face interne de la cuisse. Ce problème se corrige par une lipectomie quasi circulaire de la cuisse. Une fois le gras soulevé, le surplus de peau est retiré après une traction vers le haut. L'intervention nécessite une hospitalisation de 48 heures ou plus.

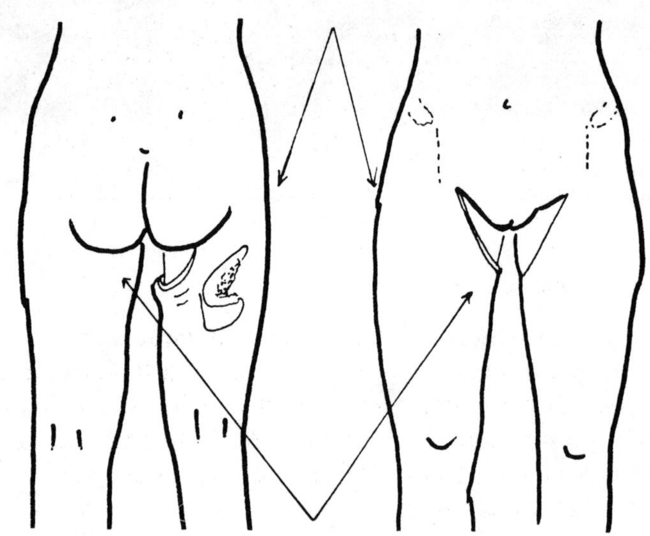

Figure 67 Lipectomie de la face interne des cuisses.

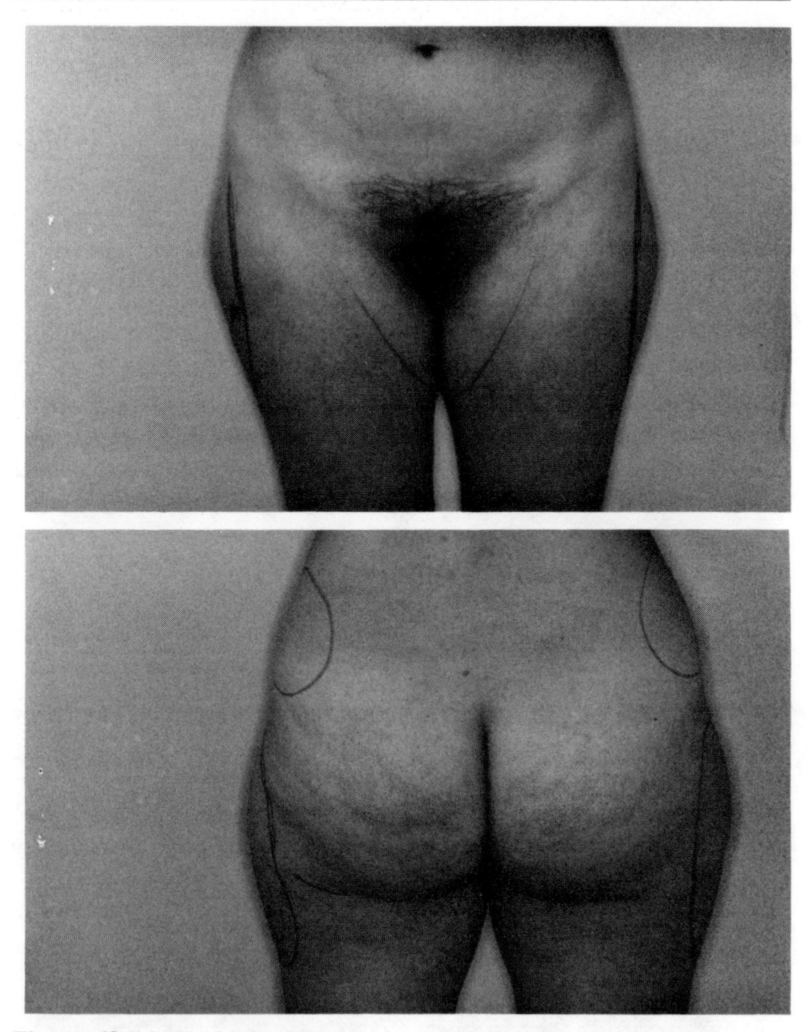

Figure 68 Lipoaspiration des hanches et des cuisses et lipectomie de la face interne. Dessin préopératoire.

Pendant l'opération

L'incision est circulaire. Elle se fait depuis l'aine jusqu'à l'intérieur de la cuisse, se prolonge jusqu'à la fesse et rejoint le pli fessier pour remonter vers la hanche. Cette incision a pour but de corriger l'affaissement de la fesse et de resserrer en même temps les tissus de l'intérieur de la cuisse. Le décollement sous la peau se fait sur une longueur d'environ 20cm. Lors d'un amaigrissement important, on peut retirer jusqu'à 15cm de peau sur la face interne de la cuisse.

Quand le problème est limité à des cas d'adiposité et de petit surplus sur la fesse ou sur l'intérieur de la cuisse, un retrait de peau et de graisse en forme de croissant peut suffire. Des fils résorbants permettent de refermer les plaies retenues et bien protégées par des pansements compressifs.

Après l'opération

Comme pour l'intervention précédente, des douleurs se manifestent lors de la marche et en position assise. Les premiers jours qui suivent l'opération, les incisions localisées dans les replis sujets à frottement suintent constamment ; il faut donc changer régulièrement les pansements. Les cicatrices restent sensibles les premières semaines et conservent un aspect rougeâtre pendant 10 mois. La guérison s'échelonne sur 2 mois.

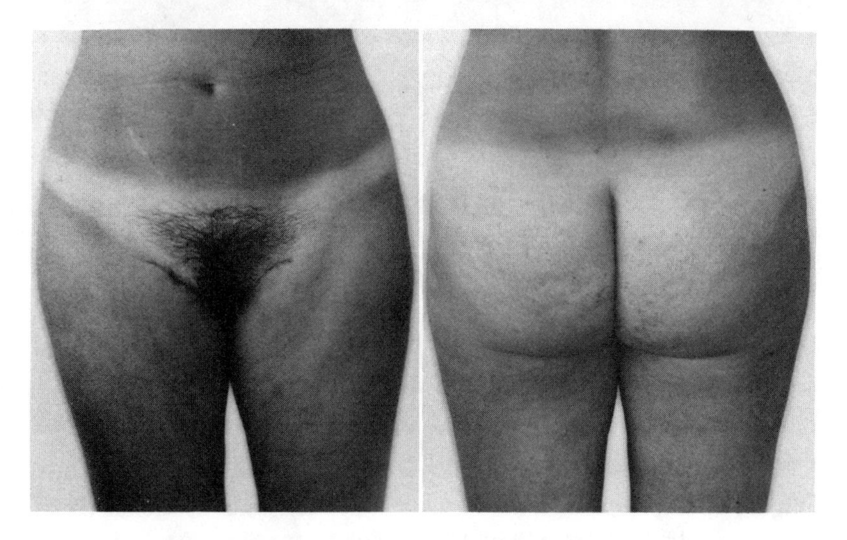

Figure 68a Résultat après lipoaspiration et lipectomie. (6 semaines).

Les complications et dangers

Malheureusement, l'inflammation des plaies et leur ouverture est assez fréquente. Il s'agit d'une complication mineure, sans danger, mais désagréable parce qu'elle occasionne des douleurs lors de la marche. Pour remédier à ce problème, on administre des antibiotiques. Des pansements sont nécessaires pendant 15 jours, ou jusqu'à la fermeture des plaies.

Une autre complication concerne l'aspect même des cicatrices. Sous l'effet de la traction, elles peuvent s'élargir, devenir très visibles et dépasser la ligne du mailhot de bain. Pour cette raison, on limite cette intervention au cas de surplus de peau suffisamment apparent et justifier la présence de cicatrices prolongées.

La thrombophlébite enfin, bien qu'elle soit très rare, demeure une complication possible. On l'évite en s'assurant avant l'opération que les patientes n'ont pas de varices.

DIVERS

La chirurgie esthétique peut aussi corriger divers autres problèmes mineurs. Ainsi, on décolore par une dermabrasion chimique ou physique les taches pigmentaires d'aspect brunâtre, si elles sont superficielles. On extirpe aussi très facilement, et sans douleur, les grains de beauté, ce qui laisse une fine cicatrice blanchâtre qui, bien souvent, s'estompe avec le temps.

Le laser et la cauthérisation peuvent venir à bout des taches de vin (hémangiomes) ou des colorations rosées dues à la couperose.

Les veines superficielles, particulièrement celles du pourtour des yeux, peuvent être injectées, comme cela se fait pour les varices des membres inférieurs. Sur les mains, toutefois, la dilatation veineuse plus importante oblige à inciser la peau pour retirer les veines protubérantes.

Pour corriger des tatouages très profonds, on doit procéder à la greffe de peau, sinon le traitement au laser peut suffire. Il contribue à faire disparaître en bonne partie les tatouages, tout en laissant une cicatrice apparente.

Enfin, la chirurgie esthétique corrige aussi les surplus de peau et de graisse logés sur les bras. On retire ces surplus par une petite intervention, en ayant soin de dissimuler les cicatrices.

EN RÉSUMÉ...

ÉTAT POSTOPÉRATOIRE NORMAL

L'œdème :	gonflements dus à l'eau accumulée dans les tissus
Les ecchymoses :	petit épanchement de sang populairement appelé « bleus », entourant la région opérée.
Le suintement :	écoulement de liquide rose perceptible surtout les deux premiers jours.
La douleur :	sensation de malaise plus ou moins prononcée qui s'atténue progressivement.
La perte de sensibilité :	insensibilisation de la région opérée, d'une durée de 2 semaines à 6 mois, selon le type de chirurgie.
La fatigue :	état de lassitude passager qui varie en intensité selon l'âge, l'état de santé et le type de chirurgie.
La somnolence les nausées, les vomissements et la constipation :	effets secondaires possibles découlant de l'anesthésie et de la médication administrée.

LES COMPLICATIONS POSSIBLES

L'hématome :	saignement sous-cutané entraînant une asymétrie. Il faut l'évacuer.
La nécrose graisseuse :	mort des tissus graisseux. La graisse dévascularisée se transforme en liquide. S'évacue par la plaie.
La nécrose cutanée :	mort d'une portion de peau qui ne reçoit plus de sang. Elle s'assèche et doit être enlevée.
L'infection de la plaie :	douleur accompagnée de rougeur et d'une sensation de chaleur sur la partie opérée. Indique un abcès ; le drainage s'impose.
La déhiscence de plaie :	ouverture des rebords de la plaie. Des points de suture peuvent être nécessaires.

Une complication bien traitée n'en est plus une, ou si peu. Il ne faut jamais oublier que deux personnes sont impliquées : le médecin et la personne opérée. C'est pourquoi nous insistons sur la nécessité d'une entente préalable entre les deux partenaires.

CONCLUSION

Les personnes déçues, nous l'avons remarqué, sont souvent mal informées sur les possibilités et les limites de la chirurgie esthétique. Pour cette raison, les corrections effectuées dans ce type de chirurgie ont été décrites avec le maximum de précision. De leur côté, les complications et dangers ont été révélés en toute sincérité, afin que l'information soit à la fois véridique et complète.

Comme la chirurgie esthétique agit sur l'apparence, il importait également d'en dégager la portée psychologique afin de bien identifier autant les raisons qui incitent à demander une intervention que les effets ou les réactions postopératoires. À cet égard, répétons-le, la chirurgie esthétique ne fait pas de miracle : elle corrige les disgrâces et les traumatismes, mais jamais la perception de soi.

La meilleure garantie de réussite réside dans la confiance réciproque qui doit s'installer entre le chirurgien et son patient ou sa patiente. L'union de cette confiance à une information adéquate ne peut que conduire, et c'est là notre plus cher souhait, à une rencontre plus éclairée et sereine entre l'*Image de soi et la chirurgie esthétique*.

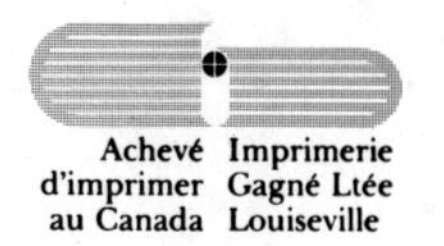
Achevé d'imprimer au Canada
Imprimerie Gagné Ltée Louiseville